イシハラ式断食で「なぜか若く見える人」になる

石原結實
Yumi Ishihara

JIPPI Compact

実業之日本社

目次

第3章

3ステップで断食にトライ！……61

第4章　スペシャルケアでとことん美肌キープ！ ……93

第5章　簡単アンチエイジング・食事編……135

第6章　簡単アンチエイジング・入浴編……169

第7章　簡単アンチエイジング・運動編……187

エピローグ　断食で、心の毒素もスッキリ！……200

カバーデザイン●杉本欣右
本文デザイン●鈴木由華
本文イラスト●小泉かおるこ

プロローグ

美容液より、エステより、プチ断食！

「断食の効果といえば、ダイエット」と、思っておられる方は多いと思います。
たしかに断食をすると、代謝《たいしゃ》・排泄《はいせつ》がよくなって、人によっては1カ月に数キロの単位でやせることも可能です。そう聞くと、もともとやせ型の人や、別に切羽詰まってやせたいわけでもない人は、断食をする必要などないと思われるかもしれませんね。でも、それは大きな間違いです！

実は断食には、ダイエット効果以上に〝若返り効果〟があり、肌や髪はもちろん、すべての体細胞を再生させるのです。私が主宰する断食施設で断食をされた女性の中にも、「総白髪だったのに黒髪が生えてきた」「60歳を過ぎて、また生理が始まった」など、驚くほど若返った方が、たくさんいらっしゃいます。

もっとも多いのは、やせる目的で断食施設にきたのに、いつの間にかシミや小ジワ、吹き出物やくすみなどが消え、まわりの人から、「肌がキレイになった」「最近、若くなったのでは?」などといわれたというケースです。特に、30~40代の女性に多いですね。断食をすると、体が若返るということは分かっていましたが、この美肌効果には正直驚きで、「断食は美容に効く」と再認識しています。

私自身、もともと若返りや長寿に関心があり、ロシアやヨーロッパで若返り研究をしている施設のいくつかを、勉強のために訪ねたことがあります。そこで出合ったのが断食療法であり、ニンジンとリンゴの生ジュースでした。

断食すると、何しろおしっこがよく出るようになります。断食中は食べ物が体に入ってこないので、内臓がホッとひと息つけて、消化・吸収に傾けていた労力を、排泄に向けるようになるからです。若さを阻害するのは結局、老廃物ですから、これが断食の一番の効果でしょう。

とりたてて美人というわけではないのに、10歳も20歳も若く見え、いつまでもキレイといわれる女性がいらっしゃいますよね。「若く見える人」と「老《ふ》けて見える人」の差は、一体どこからくるのでしょう?

若く見られるためには、肌がみずみずしくて血色がよく、イキイキとしていることが絶対条件です。そのためには、細胞の中に含まれる水がいかに多いかが、ポイントになります。ただし、断食中に老廃物として盛んに出るおしっこは、細胞の中の水分ではありません。細胞と細胞の間に溜《た》まっている水が、排泄されたものです。この「細胞と細胞の間の水」こそが、むくみを引き起こし、若さを阻害する元凶なのです。

断食で余分な水が排泄されれば、その分、細胞の中に水を取り入れられるようになって、若さがよみがえってきます。というのも、細胞と細胞の間に水が溜まると、代謝が悪くなるんですね。水を排泄すれば代謝が上がり、「悪いものを出して、いいものを取り入れる」という、排泄と吸収のバランスがよくなってきます。

年齢とともに、代謝がだんだん下がって排泄が悪くなり、体の中に老廃物が溜まってくるのは仕方のないことです。老廃物が老廃物を呼び、体の中からどんどん歳《とし》をとってしまう……こうした老化サイクルを、断食でスパッと断ち切ることで、美と若さをキープすることができるのです。

ただ、何も食べないでいるのは、やっぱりつらいものです。お腹《なか》がすいて血糖値が下がるとイライラして、ガマンできずに食べてしまうこともあります。そうしたつらさを乗り切るサポーターとして、ニンジンとリンゴの生ジュースがあるのです。

お腹がすいたとか、すかないというのは、血糖値によって決まります。胃が食べ物でいっぱいかどうか、ではないのです。ですから、ニンジンとリンゴの生ジュースを飲んで血糖値を上げれば、イライラすることもなく、さほどつらくならずに断食が続けられます。

しかも、ニンジンやリンゴに含まれるビタミンやミネラルが、若返りに絶大な威力をもつのです。特にニンジンは、〝生命の源〟ともいえる根の野菜で、下半身を強化し、体を温め、強力な〝若返り効果〟を発揮します。

もう1つ、断食の大きな効能として、体温の上昇があります。現在、日本人の平均体温はどんどん下がっています。30歳以下の女性で、36・5度以上の、人類の平均体温がある人は、ほとんどいないのではないでしょうか。みんな慢性的な冷え性で悩んでいるのです。

断食中は、老廃物が燃えて体温が上がりますから、血行がよくなり、肌がイキイキとしてきます。どんなに高価な化粧品を使うよりも、ちょっと断食をするほうが、肌は健康的なバラ色になって、くすみもなくなるのです。

断食が体を温める効果を、さらに高めるのがショウガ紅茶です。ショウガ紅茶は、体を芯《しん》から温めてくれます。ティーバッグにチューブ入りショウガでもいいので、手間もかかりません。黒砂糖やハチミツを入れれば、断食中に血糖値を上げる強力な助っ人としても役に立ちます。ショウガ紅茶と、ニンジンとリンゴの生ジュースがあれば、誰でも断食に成功するのです。

　非常に高価な美容液や、パックなどの化粧品、エステ、サプリメント、プチ整形などによるアンチエイジング（若返り）美容が、最近は本当に花盛りです。お金をかけてキレイに若返れるならと、そうした方法を試している方も多いでしょう。

　でも、どんなに外からあれこれ手を加えても、「体の中」を改善しなければ所詮《しょせん》、付け焼き刃に終わってしまうでしょう。また、安全性に問題があったり、副作用が心配なものも多々あります。何より、エステにせよプチ整形にせよ、かなりお金がかかりますから、誰もが気軽にできるというものではありません。

　その点、体質改善をはかって若返るイシハラ式〝プチ断食〟は永続性があり、お金もかからず、しかも簡単と三拍子揃《そろ》っています。朝食を抜いて、ニンジンとリンゴの生ジュースまたは、ショウガ紅茶に切り替えるだけの「朝だけ断食」なら、一生続けることだって可能です。毎日続けるのが難しいなら、週に1回、または月に1回でもいいのです。老廃物が溜まった体をリセットする気持ちで、ぜひ断食にトライしてみてください。

断食の効果は、若返りだけではありません。病気の芽をつんで長寿をもたらし、精神的にも安定します。断食中は、食べ物が体の中に入ってこないので、体全体がお休みモードになります。人間の体をつかさどる神経には、緊張させる交感神経とリラックスさせる副交感神経がありますが、断食中に働くのは、もっぱら副交感神経です。いつもはささいなことにイライラしてしまう人も、断食中は人が変わったようにニコニコしていますから、不思議なものです。

本書では、イシハラ式プチ断食の実践法に加えて、断食の効果をより強力にサポートする食生活、手作り自然化粧品、入浴法、運動法なども紹介しています。トータルな美容本として、活用していただければ幸いです。

石原結實

第1章

断食こそ究極のアンチエイジング

「若い」って、どういうことをいうの？

「あの人は、いつまでたっても若くてうらやましい」

「何だか彼女、最近急に老《ふ》けたような気がする」

誰でも1度は、こんな風ないい方をしたことがあると思いますが、若く見られるとか、老けて見られるって、具体的にはどんな状態を指すのでしょう？

たとえば、顔立ちが整っていれば、若いといわれるのでしょうか？　いいえ、そんなことはありません。テレビの中の女優を見て、「若いころはあんなにキレイだったのに、最近すっかりおばさんになったわね」などと思ったことはありませんか？

どんなに美人であっても、老ける人は老けます。反対に、若いころはそれほど美人ではなかった人が、30代を過ぎてから、びっくりするほどキレイになって見違える……ということはよくあることです。

若さは、美醜が決めるわけではありません。若さを決定づけるもの、それはズバリ、

「全身がうるおっているかどうか」です。「みずみずしい肌」「水もしたたるいい男」など、水を連想させる言葉が、若さを表していることからもお分かりでしょう。

人間の体の水分含有量は、生まれたばかりの乳児では70％もあるのに、3～5歳では早くも65％と5％も減。さらに成人で60％、老人になると55％までに減ります。つまり、老化とは体がだんだん干《ひ》からびていくことなのです。

私たちの体は、60兆個の細胞でできています。それらすべての細胞を若々しく保つためには、細胞内の水分を一定量以上、保持する必要があるわけです。うるおいのある肌、弾力性のある筋肉、丈夫な骨、健康に働く内臓を作るためには、細胞内に水分を十分に貯《た》め込んでおく能力＝「保水性」が重要になってきます。

「じゃあ、体の乾燥を防ぐためには、水をたくさん飲めばいいのね」と思ったあなた、そんな簡単なことではありません。若さを保つコツはあくまで保水性であって、多水性ではないのです。水をたくさん摂《と》りすぎると、細胞と細胞の間に水が溜《た》まり、体を冷やしてかえって若さを阻害してしまいます。

若さのバロメーターともいえる水が、同時に、若さを邪魔する「水毒《すいどく》」に変わるといったら、驚かれるでしょうか？

「命の水」と「老化の水」は紙一重!?

水は体にとって一番大切な成分で、しかもカロリーはゼロ。ダイエットにもバッチリです。特に最近では、ドロドロの血液をサラサラにする効果が注目され、「どんどん水を飲もう」と、テレビの健康番組や健康雑誌などで盛んにいわれています。

でも、「過ぎたるは猶《なお》及ばざるが如《ごと》し」です。昔から漢方では「水毒」という言葉があるように、いかに大切な水でも、多く摂りすぎて排泄《はいせつ》が十分にできていないと、さまざまな害を及ぼすのです。

私のクリニックに、身長155センチ、体重74キロという女性記者が、取材にきたことがあります。色白でぽっちゃりした彼女を見て、私はすぐさまこう聞きました。

「あなたは毎日、かなり水を飲んでいませんか? フルーツもたくさん食べるのではないですか?」。すると彼女は、「どうして分かるんですか?」と、とてもびっくりした様子。「水は代謝をよくするから」とダイエットの先生にいわれ、毎日2リットルも水を飲んでいるとのことでした。

それでは、体が冷えてしょうがないだろうなと思って尋ねてみると、「風邪をひいて発熱したときさえ、手足は冷たい」という答えです。水を2リットル飲むダイエットを始めてから、かえって下半身は太り出し、肩こりや頭痛、腰痛、生理痛もあるという彼女は、「このままで本当にやせるのかしら？」と悩んでいたそうです。

彼女の体の状態を簡単にいうと、水の飲みすぎで体を冷やしたために、やせるどころか、「むくみ」で下半身デブになっていたのです。頭痛や生理痛をはじめとするさまざまな不定愁訴《ふていしゅうそ》も、冷えからきていました。

人間の体の構造は、レンガ造りの壁で考えると分かりやすいでしょう。レンガ1個1個が細胞とすると、それをセメントにあたる細胞外液でくっつけています。また、血液やリンパ液、鼻水、胃液、涙などもすべて水です。こうした細胞の外にある水が増えると、体を冷やして熱を奪い、さまざまな害を及ぼして、老化の原因となるのです。

ではなぜ体を冷やすことが、そんなに悪影響となるのでしょうか？　それには「瘀血《おけつ》」が大きく関係しています。瘀という字を、見慣れない方も多いと思いますので、次項で詳しく説明しましょう。

血液の流れが悪いと、肌が荒れる

お風呂上がりに鏡に映った自分を見ると、いつもよりも肌にほんのり赤みがさして、シミやソバカスも薄くなり、小ジワも心なしか少なくなったような気がする……という経験はありませんか?

これは入浴によって体温が上がり、肌の下の血液の流れもよくなることで、血液から皮膚に、栄養や酸素が十分に与えられている状態だからです。天然の乳液ともいえる皮脂と水分が、皮脂腺《せん》と汗腺《かんせん》からたっぷり分泌され、肌がうるおったために、いつもよりイキイキと見えたのです。

血液の流れがいいと、うるおいとツヤのある血色のいい肌になります。反対に、シミやソバカス、くすみ、乾燥肌などのトラブルは、血液の流れの悪さが原因ともいえます。

瘀血の「瘀」には、「滞《とどこお》る」という意味があり、瘀血＝血の滞った状態、つまり血液の流れの悪い状態を指します。瘀血を西洋医学風にいうなら、静脈系の血行不順といったところでしょうか。

瘀血が生じると、肩こりや頭痛、めまい、のぼせ、耳鳴り、情緒不安、不眠、手足の冷え、生理不順、生理痛など、いわゆる不定愁訴のオンパレードに。外見的にも、赤ら顔になったり、目の下にクマができたりします。吹き出物などに悩まされる人も多いようです（23ページのイラスト参照）。

つまり、瘀血は体調を悪くするだけでなく、美容にとっても大敵なのです。瘀血が生じる原因としては、次のようなものが挙げられます。

まずは体の「冷え」。とりわけ、下半身の冷えは瘀血の大きな原因となります。下半身が冷えると、下半身の血や熱や気が、上半身に向かって上昇していきます。血や熱や気が下から突き上げると、心臓の拍動が必要以上に強くなって、ドキドキします。同じく肺も、下半身からの突き上げで、何となく息苦しくなります。

血や熱や気の突き上げは、顔のほてりや発疹《ほっしん》につながり、嘔吐《おうと》や咳《せき》、口内炎なども引き起こします。頭まで上がってくると、せきたてられるような不安・焦燥《しょうそう》感が強まり、不眠の原因にもなります。後述しますが、精神的なストレスは、美容に大きなダメージを与えます。

こうした下半身の冷えの大きな原因として、水分の摂りすぎや排泄不足があるのです。

成人の体の60％は水ですから、いくらノンカロリーでも、水を摂りすぎれば、体全体に占める水分量が増え、「水太り」の原因となります。ビニール袋に水を入れて手で吊《つ》り下げると、水の重みで下方がふくらみますよね。体にも同じことがいえます。水分を摂りすぎると、下半身に水が溜まってしまうのです。雨に濡《ぬ》れると体が冷えるように、水があるところは冷えやすく、瘀血の原因になるというわけです。

下半身に水が溜まれば、下半身デブや大根足、下肢《かし》のむくみを引き起こすことは、いうまでもありません。

さらに下半身の冷えの原因には、運動不足も挙げられます。人間の体の熱の40％は、運動などで筋肉が動かされることから生じます。体の筋肉の70％以上は腰から下にあるので、運動が不足すると、下半身の筋肉の産熱量が減り、下肢が冷えてくるのです。

つまり、水分の摂りすぎに注意し、適度な運動をすることが、下半身の冷えを防ぐ一番の方法といえます。冷えがなくなれば瘀血も生じなくなるので、血液がスムーズに流れ出し、お風呂上がりのような美肌を保つことができるというわけです。

左ページに挙げたのが、瘀血の主な症状です。あなたも心当たりがありませんか？

瘀血の主な症状

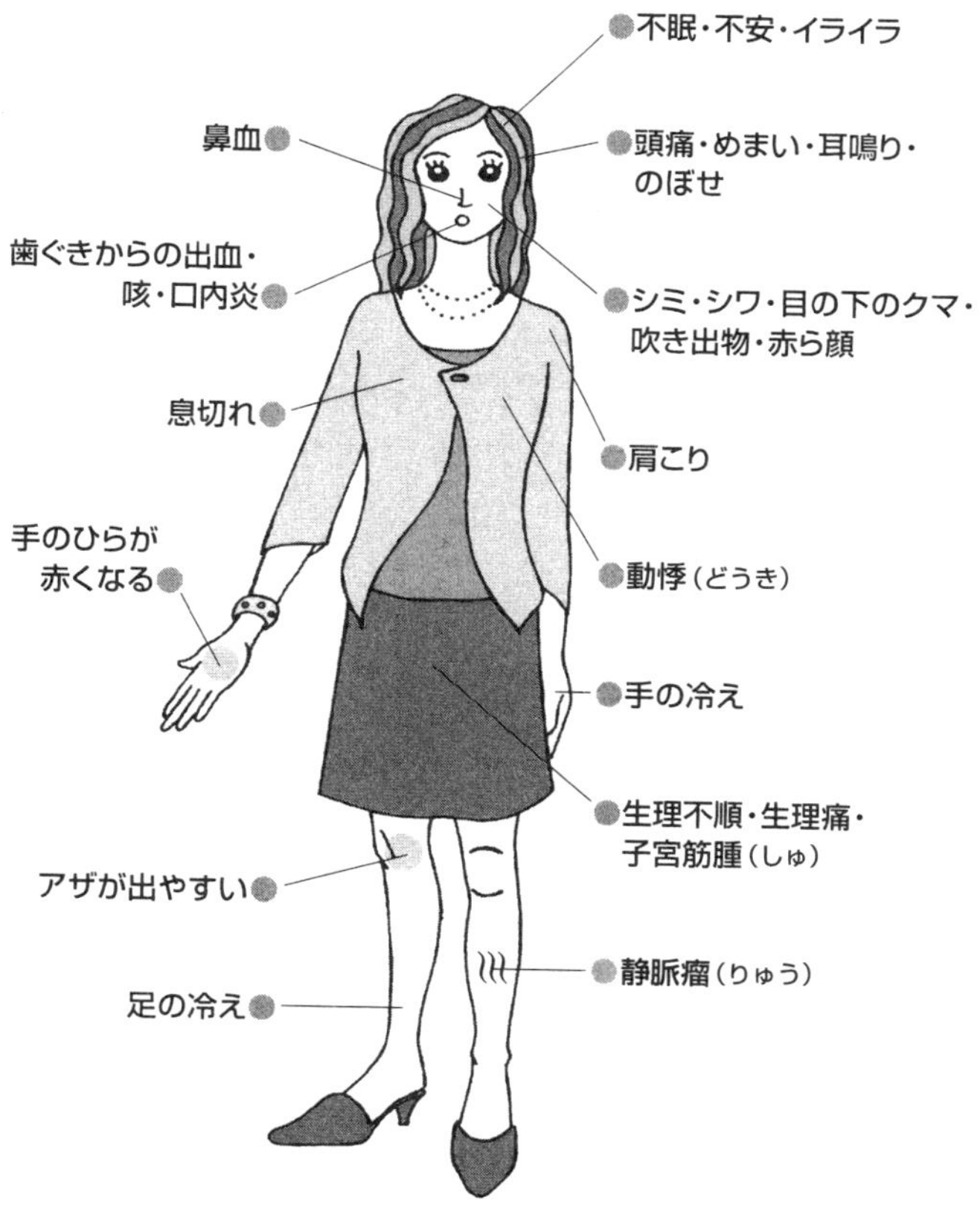
不眠・不安・イライラ
鼻血
頭痛・めまい・耳鳴り・
のぼせ
歯ぐきからの出血・
咳・口内炎
シミ・シワ・目の下のクマ・
吹き出物・赤ら顔
息切れ
肩こり
手のひらが
赤くなる
動悸(どうき)
手の冷え
生理不順・生理痛・
子宮筋腫(しゅ)
アザが出やすい
静脈瘤(りゅう)
足の冷え

血液ドロドロの原因は？

下半身の冷えだけでなく、血液が汚れてドロドロになった状態（＝汚血）も、瘀血を招きます。汚血の原因としては、以下のようなものが挙げられます。

① 食べすぎ

毎食お腹《なか》いっぱいになるまで食べていると、血液中にコレステロールや中性脂肪、糖分などが必要以上に溜まってしまいます。また、細胞で利用・燃焼される過程で乳酸や尿酸、ピルビン酸などの老廃物・不燃物が増えて、血液を汚します。

玄米や黒パン、黒砂糖などに比べると、胃腸に負担をかけない白米や白パン、白砂糖などの精白した食品が多いのも、過食の原因に。やわらかくて口あたりがいいので、知らず知らずのうちに食べすぎてしまうからです。

② 動物性食品の摂りすぎ

肉、卵、牛乳、バター、マヨネーズなど、動物性食品の摂りすぎも汚血の原因の１つです。動物性タンパク質は腸で吸収されるときにアミン、アンモニア、スカトール、インドールなどの猛毒物質を発生させます。これらは肝臓で解毒《げどく》されるとはいえ、やはり血液を汚す原因になります。

動物性食品には食物繊維が含まれておらず、胃腸に負担をかけないためについ食べすぎてしまうのも、①の精白食品と同じく汚血の誘因に。こうした食物繊維の少ない食品は、便秘を助長し、腸を汚して、その結果、血液を汚すことにもなるのです。

③ストレス・運動不足・飲酒・喫煙

人はストレスを感じると副腎皮質《ふくじんひしつ》からアドレナリンが分泌され、血管が収縮して血圧が上昇します。このとき、血液中にコレステロール、中性脂肪、糖、赤血球、乳酸、ピルビン酸などが増え、血液がドロドロになります。

運動不足は体温を低下させ、血液循環の流れを悪くするだけでなく、汚血の原因にもなります。体温が低下すると、血液中の老廃物の燃焼を邪魔して、血液を汚すのです。

飲酒と喫煙も要注意です。お酒を飲みすぎると、肝臓に負担をかけて解毒作用を低下させるために、汚血を招きます。また喫煙は、ベンツピレンやニコチンなどの有害物質が、肺から直接血液に吸収されて血液を汚します。

体温を上げれば、美しく見える

血の巡りがいいと若く見えるということは、これまでお話しした通りですが、新陳代謝のよさも若く見られるかどうかのポイントになってきます。

私たちは医学生時代、よく教授から、「美人を見たらバセドー病を疑え」といわれたものです。

バセドー病とは、新陳代謝をつかさどる甲状腺《こうじょうせん》という内分泌器官が異常に働きすぎて、新陳代謝が必要以上によくなってしまう病気です。若い女性に多く、体温の上昇、発汗、イライラ、下痢、手の震えなどが起こり、ひどくなるとガリガリにやせ細って眼球が飛び出てきます。もちろん薬や、重症のときには手術などでちゃんと治療できる病気です。

このバセドー病、なりかけの患者さんがとても美しくなるのです。バセドー病の人は、体温が高く新陳代謝がいいために、ほっそりとしていて血色がよく、肌もなめらかでキメ細やかです。病気の初期には、目も輝いて見えます。

反対に、甲状腺の機能が低下する粘液水腫《すいしゅ》という病気の人は、新陳代謝が低下するために、体温が低く冷え性で、動きが鈍く便秘がち。むくんだように太っています。

つまり、新陳代謝がいいほうが美しく見えるというわけです。新陳代謝を高める手っ取り早い方法は、何といっても体温を上げることです。体温が1度低くなると、代謝は約12％低下します。つまり同じものを食べていても、体温が35度の人は36度の人にくらべて1・12倍太りやすいということになるのです。

医学事典などで見ると、日本人の腋《わき》の下で測った平均体温は、36・8度（プラスマイナス0・34度）とあります。しかし今、平熱が36・8度もある人は、ほとんどいないでしょう。体温が低下すると白血球の働きが悪くなり、免疫力も低下します。

体温を上げ、新陳代謝をよくするためにはまず、日常生活で体をなるべく冷やさないようにする努力が必要です。水分を多く摂りすぎないのはもちろんのこと、入浴もシャワーだけですまさずに、きちんと湯船に浸《つ》かるようにしましょう（入浴については、第6章を参照）。

人間の体温のうち40％は、筋肉が発する熱（189ページ参照）ということを考えると、適度な運動も大切です。

活性酸素が、老化を招く

過食や便秘、運動不足、運動のしすぎ、過剰なストレス、睡眠不足、飲酒・喫煙などの悪い生活習慣や、紫外線、大気汚染などの外的環境の悪化が原因で、体内の細胞膜から多量の「活性酸素」が発生するといわれています。

活性酸素は、体の中でさまざまな悪さをします。体内の脂質を変容させて過酸化脂質を作り出し、細胞の核を傷つけ、酵素の働きを鈍くして、老化や病気の元となるのです。

さらに、過酸化脂質を大量に生成することで動脈硬化を引き起こし、血管を傷つけて血行を悪くします。つまり汚血や瘀血の元凶にもなるのです。

人間の体は、60兆個の細胞で構成されています。その細胞の主役であるタンパク質を変容させ、細胞が行なうさまざまな生命活動のカギといってもいい酵素の働きを鈍くするのですから、老化どころか、最悪の場合は死を招くことも！

たとえば、唾液《だえき》に含まれるペルオキシターゼや、体内にあるSOD（スーパーオキサイドディスムターゼ）は、活性酸素を取り除いてくれる酵素です。ただし、加齢とともに少なくなるので、老化現象が進んだり、病気になりやすくなるという宿命があります。

これに対して自然界には、活性酸素を除去してくれるさまざまな物質が存在します（30〜31ページの表を参照）。これらを食べたり、口や鼻から吸ったりして体内に吸収することで、抗酸化作用が期待できるのです。

特に注目すべきは、植物です。植物は、生まれてから死ぬまで同じ場所を動けません。紫外線や害虫、大気汚染などの有害物質にさらされても、逃げるわけにはいかないのです。だからこそ植物には、動物よりも、体内に入ってきた有害物質を処理する高い機能が、最初から備わっています。これが最近話題のポリフェノール類です。

ポリフェノール（赤）やカロテノイド（オレンジ）など、「植物の色」の元になっている物質こそが、植物の体内で有毒物質から体を守る抗酸化物質、すなわち「ファイトケミカル」（ファイト＝phyto＝植物の、ケミカル＝chemical＝化学物質）といわれるものなのです。

イシハラ式〝プチ断食〟では、ニンジンジュースを飲むことで、ファイトケミカルを十分に摂ることができるので、老化防止の効果もバッチリというわけです。

ポリフェノール	フラボノイド （黄〜橙の色素）	赤ワイン、ココア、そば、タマネギの皮、 柑きつ類の袋、茶
	アントシアニン （赤〜青の色素）	ブドウ、イチゴ、ブルーベリー、赤ジソ （梅干し、紅ショウガの赤）
	カテキン （無色）	葉や未熟果に含まれており、苦み、渋みが強く、 虫や鳥から、葉や未熟果を守る 茶、カカオ豆
	タンニン	・カテキンが重合して褐色になったもの ・リンゴやモモの皮をむくと変色＝タンニン ・防腐、殺菌、粘膜や皮膚の保護、止血、消炎 桂皮（クスノキの樹皮）…芳香健胃作用 ゲンノショウコ（フウロウソウの全草）…止瀉整腸 蘇葉（シソの葉）…芳香健胃 大黄（タデの根茎）…健胃、緩下
カロテノイド色素	カロテン リコピン	ニンジン、トマト、オレンジ、パイナップル
その他	サセモール	ゴマ油
	シナモン	ニッキ
	シオネール ジンゲロン ジンゲロール ショウガオール クルクミン	ショウガ
	メチルメルカプタン	ニンニク
	クエン酸	種々のフルーツ
	リンゴ酸	リンゴ
	酒石酸	ブドウなどのフルーツ
	レシチン	大豆
	ソルビット	海藻
	ワリニン	ジャガイモの皮
	フィトンチッド	樹木の葉

活性酸素除去物質

ビタミン類	ビタミンA（カロテン）	・ブロッコリー、ニンジン、ダイコン葉、ホウレンソウ、カボチャ、ニラ ・チーズ、卵、ウナギ ・柿、ビワ、アンズ
	ビタミンB_2	・玄米、胚芽米、大豆、納豆 ・ノリ、ワカメ、シイタケ、ホウレンソウ ・イワシ、サバ ・卵、チーズ、ヨーグルト
	ビタミンC	・緑黄色野菜 ・果物（特に南方産） ・イモ類（ジャガイモ、サツマイモ）
	ビタミンE	・玄米、胚芽米、黒パン ・植物油（大豆油、ゴマ油、オリーブ油） ・大豆、落花生
	ビタミンK	・緑葉野菜 （キャベツ、ホウレンソウ、コマツナ）
ミネラル類	亜　鉛	・カキ、エビ、カニ、イカ、タコ、貝類 ・ノリ、シイタケ、大豆、ショウガ ・チーズ
	鉄	・色の濃い食物 （ノリ、小豆、黒豆、レバー、黒砂糖）
	マンガン	・玄米、くるみ　・黒砂糖
	銅	・カキ、卵 ・玄米、大豆、シイタケ　・黒砂糖

プチ断食が、すべての悩みを解決！

ここまでの話をまとめると、「若さ」とは血液循環がよく、細胞の内部に水分が満ちていて、新陳代謝が活発で体温の高い状態といえます。この状態を保つ——つまり、いつまでも若くいられるためには、どうしたらいいのでしょう？

それはズバリ、「冷え」をなくすことにつきます。

水分の摂りすぎが、なぜ体に悪影響を及ぼすかといえば、体を冷やすからです。冷えによって体温が低くなれば、新陳代謝が悪くなり、血液循環も滞りがちになります。汚血が瘀血の原因となるように、体内で起こるさまざまな作用は、原因であると同時に結果でもあります。たとえばこんな具合です。

① 水をたくさん飲みすぎる

⬇

②水の飲みすぎから細胞と細胞の間の水分が増え、体が冷える
⬅
③体の冷えは、体温の低下や血液循環の悪化など、さまざまな弊害をもたらす
⬅
④体温が低下すると新陳代謝が悪くなって、体に水が溜まり、ますます冷える

つまり、細胞間の余分な水分の排泄をスムーズにして、体を冷えから守ることで、若さと美しさが確実に手に入るといえます。この2つをクリアするもっとも手軽で効果的な方法が、実は断食なのです。断食は、排泄を促すと同時に体を温め、さらに免疫力を増して、老化や病気を防ぎます。「断食こそ、究極の若返り法」――これは、長寿の研究が発達したロシアやヨーロッパの国々では、すでに常識となっている考え方です。

断食というと、「つらい」「ひもじい」「私にはとても無理」などと思われるかもしれませんが、心配はいりません！　イシハラ式プチ断食は、ショウガ紅茶とニンジンジュースの力をプラスして、誰でも簡単に行なえるように、私が年月をかけて考案したものです。その素晴らしい効能については、第2章でお話しいたしましょう。

体験談①

プチ断食歴１年。
気がつけば美肌自慢に！

M・Fさん（36歳女性・会社員）

わりと着やせするタイプということもあって、人からは「ダイエットする必要ないよ」といわれ続けてきたのですが、さすがに30代になると、体形が変わってきますね。お風呂の鏡に全身を映すと、明らかにお腹や下半身に肉がついてる。これがいわゆる、中年太り!?とあわてて、何とかあと３キロやせねばと始めたのが、イシハラ式プチ断食でした。残業の多い仕事なので、夕食をセーブするのは私にはムリ。逆に、朝はもともと食欲がないので、朝食を生ジュースとショウガ紅茶だけにするのは、ラクでした。

始めてすぐに、朝のお通じがすごくよくなり、顔のむくみも解消。今まであまりかかなかった汗も、大量に出るようになりました。まさに「毒素が出る」という感じ。ハードワークでも疲れにくくなり、体が健康になっていくのを実感。最初は、体重計の針ばかり気にしていたのですが、そのうち「体に心地いいから断食する」ようになり、１年がすぎました。

そんなある日、「肌がすごくキレイでうらやましい。どんなお手入れをしているの？」と同僚に聞かれてビックリ！　そういわれてみれば、くすみがちで毛穴やシミが目立っていた肌が、いつの間にかスベスベに。小ジワができる気配もなく、「30代半ばの肌には見えない」とも、よくいわれます。

体重のほうは結局、1.5キロ減っただけでしたが、体のラインがスッキリして大満足。オバさん化しないための美容法として、これからもずっとプチ断食を続けていこうと思っています。

第2章

断食で若返るのはどうして？

断食と発熱は〝2人の名医〟

当然のことですが、人間は食べなければ生きてはいけません。水を3日飲まなければ生命を維持することはできませんし、1カ月何も食べないでいると体力がなくなり、生命の危険さえあります。そんな共通認識があるからでしょうか、医師などの専門家の中にも、「断食は危険だ」と考える人が多いようです。

だから、発熱などさまざまな病気で、体が食べ物を受けつけないときや、食べたくないときでも、「体力をつけるために、がんばって食べなさい」と指導するわけです。

でも、よく考えてみてください。野生の動物は病気やケガをすると、しばらくは食を断ち、じっと安静にすることで体力を回復させていきます。

実は、この食べないこと（＝断食）と発熱こそが、病気を治す特効薬なのです。病気やケガを治す原動力である血液中の白血球は、断食時（つまり空腹時）と発熱時に、働きが促進されるからです。断食と発熱は、動物が天から与えられた〝2人の名医〟といっていいでしょう。

「食べすぎ」は美容の大敵！

人類が300万年前にアフリカ大陸で誕生して以来、その歴史は「飢え」との闘いの繰り返しでした。日照りや洪水などさまざまな天変地異によって、いつも食糧が不足していたために、飢えることなど日常茶飯事。当然、人間の体はそれに耐えられるようにできているので、ちょっとぐらい食べなくても大丈夫なのです。

ところが、最近は事情が違ってきました。手近に食べ物があふれ、たいして空腹でもないのに朝がきたから朝食、昼だから昼食、夜だから夕食というように、とにかく食べ物を胃袋に入れるのが普通です。日本でも、高度経済成長が始まって豊かになった1960年代以降、そんな食生活になっています。お腹《なか》がすかなくても1日3食、規則正しく食べるのが健康にいいとさえいわれていますが、本当にそうでしょうか？

たしかに、飢えて死ぬことはなくなりましたが肥満、高血圧、脂肪肝、痛風といった生活習慣病や、リウマチ、潰瘍《かいよう》性大腸炎や皮膚筋炎などの自己免疫病、アトピーやぜんそくなどのアレルギー疾患、生理不順や子宮筋腫《きんしゅ》といった婦人病、ガンなど、いわゆる現代文明病は増加しています。また、ビタミンやミネラル不足の偏った食事による〝隠れ栄養失調〟も増えているといわれています。

「美しい素肌とみどりの黒髪」に象徴された日本人女性の美貌《びぼう》が、欧米人並みのキメの粗い肌とツヤのない髪に変化し始めたのも、過食の時代が始まって以降のこと。食べすぎによって病気が増えただけでなく、美貌さえも失ってきているのです。

３００万年かけて作り上げられた人間の生理が、ここ数十年の食生活で壊され始めているといっていいでしょう。

寝ている間は、誰でも「断食中」！

人間の体には、「吸収は排泄《はいせつ》を阻害する」という生理的メカニズムがあります。簡単にいうと、「たくさん食べすぎると、かえって排泄が悪くなる」のです。その結果、体内に脂肪や糖などの余剰物や、乳酸や尿酸などの老廃物を溜《た》め込んでしまい、肥満や血液の汚れを招き、万病の元《もと》となるわけです。

逆に食べないでいると、排泄が促進されます。ですから断食を行なうと、さまざまな「排泄現象」が起きます。吐く息が臭くなる、目ヤニや鼻汁、痰《たん》がたくさん出てくる、尿の色が濃くなるなど、老廃物がどんどん排泄されます。体内の老廃物が少なくなるのですから当然、血液もキレイになっているわけです。

さてここで、朝の起き抜けの体の状態を思い出してください。口臭がある、目ヤニや鼻づまりがひどい、尿の色が濃いなど、断食を行なったときとまったく同じ現象があるはずです。これは夕食を食べてから夜寝ている間は、誰でも断食をしていることになり、排泄現象が盛んになっているからなのです。

ちなみに、英語で朝食のことを「breakfast」といいますが、これは「fast（断食）」を「break（やめる）」して摂《と》る食事、という意味です。

つまり、何日も何週間も断食を続けなくても、夕食後から翌朝までの、ほんの10数時間程度のプチ断食であっても、十分に効果は得られるのです。

汚いものが排泄されて、血液がキレイに

断食を始めたとたんに、体の中の汚いものがどんどん排泄されます。その量にはみなさん、とても驚かれます。ではなぜ、排泄が増えるのでしょうか？

食べることをやめて、消化吸収器官である胃や小腸を休ませると、その分、大腸、腎臓、汗腺《かんせん》、皮脂腺《ひしせん》、鼻粘膜《びねんまく》、涙腺《るいせん》、口腔粘膜《こうくうねんまく》、子宮《しきゅう》、膣《ちつ》などの、排泄器官の働きが活発になります。

その結果、大腸に溜まった宿便が排泄され、濃い色の尿が出て、汗や皮脂の分泌が多くなります。発疹《ほっしん》や鼻汁、涙が出やすくなることもあります。口の中や舌が熱を持ったような、もったりとした感じになり、四六時中ベタベタ、ヌルヌルした分泌液が出て、舌ごけができます。水分が体の外に出ようとするため、一時的にむくみが起こる人もいるでしょう。

俗にいう、「目クソ、鼻クソ、クソ、小便、汗、帯下《おりもの》……」のうち、クソ以外は血液

中の老廃物、つまり汚れが排泄されたものです。こうした排泄物が増えるということは、血液がキレイになっている証拠なのです。

体温が上昇して「冷え」がなくなる

第1章で、「冷え」はさまざまな病気を引き起こすと同時に、美しさを損なう元凶だとお話ししました。意外に思われるかもしれませんが、実は断食中は体温が上昇するので、冷えも改善できるのです。

インコやジュウシマツなどの小鳥は、ひなを孵《かえ》すときにほとんど食べ物を口にせず、断食状態で卵を温めます。これは、断食時に体温が上昇することを、経験的に知っているからです。

断食時の排泄現象の際に、血液中の老廃物や余剰物が燃焼するので、一緒に熱が生じるのです。これは食べ物を胃腸から消化・吸収し、糖や脂肪を体内で燃焼させて熱を作るよりもはるかに効率的です。

しかも、食べてから一定時間後に集中して熱が生まれる「食べ物熱」より、老廃物や余剰物を使っていつでも熱を作り出せる「断食熱」のほうが、安定して熱が生まれます。断食こそが、美容の大敵・冷えに対する特効薬なのです。

白血球が元気になる

血液中の「白血球」は、人間の体の中で唯一、全身を自由に動き回ることができる細胞です。好中球《こうちゅうきゅう》、好酸球《こうさんきゅう》、単球《たんきゅう》、リンパ球など多くの種類があり、それぞれ殺菌作用や免疫作用などがあります。アレルギー疾患の治癒《ちゆ》に役立ったり、ガン細胞を殺したり、血栓《けっせん》を防いだりもします。つまり白血球は、体の中で病気と闘う、お医者さんのようなものなのです。

白血球の70％を占める好中球は、優れた殺菌作用があることで知られていますが、本来の仕事は、血液中の老廃物を「食べて」処理することです。ところが、血液中の糖分量が多いと、好中球の働きは半減してしまいます。

逆に、断食して血糖値が低くなると、好中球もお腹がすくのでしょう、その働きは倍増し、殺菌作用が高まり、血液中の老廃物もどんどん食べてくれます。

結果的に、細菌感染症の予防になるだけでなく、血液がキレイになり、瘀血《おけつ》を防いでくれるのです。

病気が溶けてなくなる

当たり前のことですが、断食している間も人間の心臓は動いていますし、腸や肝臓、腎臓などにもタンパク質や脂肪、糖分、ビタミン、ミネラルなどの栄養分が必要です。こうした栄養素が口から入ってこないと、人間の体は自然に、「生命にとって不要なもの」を使って生き延びる方法を考えます。

「生命にとって不要なもの」とは、腫瘍《しゅよう》や水腫《すいしゅ》、炎症を起こした細胞を指します。これらの中にある、タンパク質などの栄養素を利用するわけです。つまり、こうした病変のある組織は、正常な細胞の栄養となって、なくなってしまうのです。

ロシアの病理・生理学者であるパシュケン（1845〜1901）は、「飢餓《きが》のときは、より強い組織が弱い組織を犠牲にして生きていく」という説を発表しています。断食中は、余分な脂肪や糖がまず使われ、次に老廃物、病気の組織や細胞……というように、いらないものから使われます。その後は、筋肉や内臓組織が少しずつ消費されます。体重が40％以上減少すると生命が危機にさらされますが、たとえ餓死しても、もっとも大切な組織である脳細胞は、ダメージを受けないことも分かっています。

つまり適度な断食によって、体に必要のないもの（病気の元や老廃物など）から溶けてなくなるのです。

内臓や皮膚が若返る

食べ物をいったん体内に入れると、体中の臓器は大忙しです。消化・吸収するために胃腸が動くので血液が必要となり、心臓は一生懸命力を入れて血液を胃腸に送り出そうとします。体中の細胞に栄養を送り込むためには酸素が大量に必要なので、肺もフル回転です。しかも、食べた物すべてが栄養として吸収・燃焼されるわけではありません。必ず老廃物が生じ、それを解毒・排泄するために、肝臓や腎臓にも負担がかかってきます。まさにハードワーク！　私たちが大忙しで働けば疲れるように、内臓もハードに仕事をすれば当然、疲れます。

断食して胃腸が休むと、一緒に心臓や腎臓、肝臓など、体内の臓器もひと息つけるわけです。休息したことで元気になるのも、私たちと同じ。しかも前述の通り、断食で血液がキレイになるので、休んで元気になった臓器に新鮮な血液が行き渡り、細胞が若返ってきます。

数日間の断食をしたあとの肌は、シミや小ジワ、たるみが少なくなり、ツヤが出てきます。体もやわらかくなり、目に輝きが戻ってきます。

私の患者さんたちも断食の結果、「肌がツルツルになって、くすみもなくなった」「視力も腰のキレもよくなって、ゴルフのスコアが上がった」「白髪がいつの間にか、黒髪に変わった」「はげていたのに、髪が生えてきた」などとみなさん、若返り効果を口にされます。60歳を過ぎた女性で、「また生理が始まってビックリ。でもちょっと面倒だわ」なんて苦笑する方もいらっしゃいました。

フランスの生物学者ド・ヴリーズ博士は、「断食すると、特に皮膚が若返り、シワが取れ、シミ、ソバカス、発疹、吹き出物が消えていく」と発表しています。また、アメリカの断食療法学者ハーバート・シェルトン博士は、「断食で皮膚は若々しくなり、色ツヤがよくなる。この皮膚の若返りは、表面には見えづらい〝断食による若返り効果〟を端的に表している」と述べています。

私のクリニックでの多くの症例から考えても、断食には以下のような若返り効果があるといっていいでしょう。

①中年太りの解消（特に、腰や下肢のぜい肉がなくなる）

②美肌・美白効果（シミ、シワ、くすみ、たるみがなくなり、歯が白くなる）

③視力の回復（近視、遠視、老眼などの症状が改善される）

④味覚・嗅覚《きゅうかく》の発達（味や臭いに敏感になる）

⑤内臓機能の回復（消化器、循環器、呼吸器のすべてが健康になる）

⑥体の柔軟化（動作がしなやかで、活発になる）

⑦性的機能の若返り（不妊症や、インポテンツが解消される）

精神が安定して、ストレスも解消

「断食するとお腹がすいて、イライラしちゃうんじゃないかしら？」と思っておられるとしたら、大きな間違いです！

それどころか、さまざまな臓器が休息し、体全体がのんびりすることで交感神経の緊張が取れ、リラックス効果のある副交感神経が働いて気分が安定してきます。当然、ストレスも解消されます。

古今東西、聖人や高僧といわれる人々は、断食をして悟りを開いてきました。食べないことで頭がハッキリし、気持ちが研《と》ぎ澄まされることを経験的に知っていたのでしょう。脳波の検査をしても、断食中は座禅で無我の境地や悟りの境地に達したときと同じα《アルファ》波が出てくることが分かっています。

実際、私も断食中は、森羅万象《しんらばんしょう》に対して感謝したい気持ちになってきます。他人との争いや確執なども気にならなくなり、心が広くなったような感じになるのです。ちょっと大げさな言い方ですが、まさに宇宙と一体になったような、至福の境地に達することさえあります。

アメリカの医学・栄養学者のＰ・アイローラ博士は、このように述べています。

「断食中、精神は研ぎ澄まされ、低次元の思考は高尚になり、不快な現実も崇高《すうこう》になる。森を散歩して聞こえる小鳥のさえずりは、まるで古典派音楽のオーケストラによる演奏のよう。周囲の高い木は、神秘的なゴシック建築に見える」

精神が安定してくると、今までの悩みが取るに足らないことのように思えてきます。脳に新鮮な血液が行き渡ることによって、思考が冴《さ》え渡り、思いもかけないアイデアが浮かぶこともあるでしょう。

体だけでなく、魂をも若返らせるのが、断食の真の効果なのです。

動物実験による若返り報告

断食による若返り効果については、動物実験によるたくさんの研究報告があります。主なものを紹介しましょう。

① ミミズを飼育し繁殖させる実験で、1匹だけ隔離して周期的に断食させると、他のミミズに比べて、何と19世代分も長生きした（イギリスの生物学者、ハクスリーによる報告）。

② ある種の昆虫は、十分に食べ物を与えると、3〜4週間で死んでしまう。一方、食物をかなり減らすか、断食を強いられた昆虫は、その活動性と若さを、少なくとも約3年は保ち続ける（アメリカ・シカゴ大学、C・M・チャイルド教授による報告）。

③ 雌鶏《めんどり》は、卵から孵って約8カ月目から産卵し、それから1年半ぐらいで、あまり卵を産まなくなる。ところが、15日間水断食をさせると、羽毛が1度すべて抜け落ちて丸裸になってから、再び羽毛が新しく生え、その後さらに1年半は産卵する（日本のある農学博士による報告。専門用語で、この方法を「強制換羽《かんう》」という。これが分かってから、現在では多くの養鶏場で、この方法をとるようになった）。

現代文明病に、生ジュースが効く

断食中であっても、水分を摂取することは大切です。でも、第1章でお話ししたように、冷たい水の飲みすぎは「冷え」をもたらし、せっかくの断食効果が半減してしまいかねません。そこで私がおすすめするのは、水を飲みながらの断食ではなく、ニンジンとリンゴの生ジュースによる「ジュース断食」です。この生ジュースこそが、いわば〝若返りの妙薬〟。イシハラ式断食の要《かなめ》ともいえる飲み物なのです。

私がジュース断食を思いつくきっかけとなったのは1979年、スイスのB・ベンナー病院に勉強で訪れたことでした。

B・ベンナー病院は1897年に設立されて以来、一貫して薬はほとんど使わず、食事療法、鍼灸《しんきゅう》、マッサージ、ハイドロテラピー（水療法）、温熱療法など、自然療法を行なう病院として知られています。難病・奇病が治るという評判を聞きつけて、ヨーロッパのみならず世界中から患者さんが集まってきていました。

この病院で施される数々の自然療法の中で、メインの療法というべきものが、ニンジンとリンゴで作った生ジュースを、朝食に飲むことでした。

当時、院長だったリーヒティ・ブラウシュ博士に、「なぜ、ニンジンとリンゴの生ジュースが効くのですか?」と質問したところ、こんな答えが返ってきました。

「現代人は、いつも満腹で栄養過剰のように見えて、実は隠れた栄養不足に陥っています。つまり三大栄養素(タンパク質、脂肪、炭水化物)は足りすぎているのに、ビタミンやミネラルが絶対的に不足しているのです。ビタミンやミネラルは、三大栄養素を体内で利用するために不可欠な酵素・補酵素です。ですから、いくら肉や卵、牛乳、バターなどの動物性食品や、白パン、白砂糖などを摂っても、かえって不健康になってしまうのです。ビタミン不足はガンを招きかねないし、ビタミンB_1不足による脚気《かっけ》や、鉄不足による貧血、亜鉛不足による味覚障害も怖い……こうした現代文明病から救ってくれるのが、ニンジンとリンゴの生ジュースです。なぜなら、このジュースの中には、私たちに必要なビタミン、ミネラルがすべて含まれているからです」

それ以来、この万能ともいえる生ジュースを、断食に取り入れたらいいのではないか――そう考えるようになったのです。

「ジュース断食」がおすすめのわけは？

私が、「ニンジンとリンゴの生ジュースを断食に取り入れたい」と考えたのには、理由があります。断食の素晴らしい効果は立証ずみとはいえ、従来の、水しか口にしない「水断食」は、お腹がすいて何しろつらいのです。スポーツはもちろん、散歩やお風呂さえ禁止する断食道場もあるといいます。日常生活が満足に営めなくてはストレスも溜まりますし、断食の効果も半減してしまいます。

そうした水断食の欠点を、「ジュース断食」は補ってくれるのです。水断食に対してジュース断食が優れている点は、以下の通りです。

①ビタミンやミネラルを多く含む

ビタミンやミネラルを苦もなく多量に摂取できるので、「栄養過剰なのに栄養不足」という、現代人の食生活の矛盾を解消します。また、断食中は乳酸や尿酸といった老廃物が、血液中や組織内に多く出てきますが、これらの老廃物のほとんどは酸性物質。ニンジンとリンゴの生ジュースにはカルシウム、カリウム、ナトリウムなどのアルカリ成分が多く含まれているので、こうした酸性物質の中和と排出にひと役買ってくれるのです。

② 薬効成分を摂取できる

植物は、生まれてから死ぬまで同じ場所で生きるしか術《すべ》がないので、どんな環境でも生き抜けるように、有毒物質を解毒する物質が多く含まれています（29ページ参照）。最近話題のポリフェノールやカロテノイドといった色素成分がそれで、ファイトケミカル（ファイト＝phyto＝植物の、ケミカル＝chemical＝化学物質）と総称され、自然界に約3000種類ほども存在します。

中国4000年の知恵の結晶といえる、漢方薬の有効成分のほとんどが、このファイトケミカルです。ファイトケミカルは人間の体内に吸収されても、植物の細胞内と同様に効果を発揮し、万病の元ともいえる活性酸素を取り除き、解毒作用も期待できます。ニンジンとリンゴの生ジュースの中には、このファイトケミカルがたくさん含まれているのです。

③ 腸をキレイにする有用菌を育てる

人間の腸の中には種類にして100近く、数にして約100兆個の細菌が棲《す》んでいて、健康に役立つ有用菌（乳酸菌、ビフィズス菌、カナバクテリウムなど）と、病気の元となる有害菌（ブドウ球菌、緑濃菌《りょくのうきん》、プロテウス、ウェルシ菌など）とに分けられます。有用菌は、さまざまなビタミン（B_1、B_2、B_6、B_{12}、E、K）を合成したり、免疫物質を作り出します。これに対し有害菌は、腸内で老廃物や発ガン物質などを作り、病気の元になることも！

ニンジンとリンゴの生ジュースの中には、乳酸菌発育因子といわれる葉酸やビタミンB_{12}などが含まれており、有用菌を育てて腸の中をキレイにし、さまざまな病気の予防に役立ちます。

④ 空腹のつらさを緩和する

水だけを飲む水断食がつらいのは、血液中の糖分が低下（これを低血糖という）しているから。そもそも空腹か満腹かは、胃袋に食べ物がたくさん入っているかどうかよりも、脳の視床下部にある空腹中枢、満腹中枢で感じるもの。それを刺激するのが血液の中の糖分（＝血糖）で、血糖値が高くなると満腹中枢を刺激して満腹だと感じ、血糖値が低下すると空腹中枢を刺激して空腹と感じるのです。ジュース断食ならば、生ジュースの中に含まれる果糖が自然に血液中に補給されるので、つらい空腹感を感じずにすごせます。

⑤有害物質や公害物質を解毒する

地球上には、放射性物質のストロンチウム90、農薬（ＤＤＴやＢＨＣなど）、有害重金属（カドミウムや鉛、水銀など）、一酸化炭素といった有害・公害物質がたくさん存在します。ニンジンとリンゴの生ジュースに含まれるビタミンやミネラルは、これらの有害・公害物質を解毒・排泄し、病気の元を取り除いてくれます。

⑥胃腸内の発酵を防止する

ニンジンとリンゴの生ジュースの中に含まれるリンゴ酸や酒石酸、クエン酸などの有機酸は、胃腸内の発酵を止め、血液を汚す有害物質が腸内で生成されるのを防ぎます。

⑦生命力を強化して若返る

ニンジンに含まれるステロイドホルモン様物質が、体内の炎症を緩和し、生命力を強化します。その結果、若返り効果が期待できるのです。

ひもじくないから、事故も起きない

空腹感をあまり感じず、ビタミン・ミネラル類なども豊富に摂れるジュース断食は、いいことずくめです。でも、「断食というのは、何も食べずに消化器官に負担をかけないから効果があるのでは？」という疑問を持つ方もいらっしゃるでしょう。

実際、水断食の権威であるロシアのニコライエフ博士や、サンクトペテルブルクの呼吸器病研究所のココソフ教授からも、私が考案したジュース断食について、「これは断食ではなく減食療法ではないのか？」という疑問を投げかけられましたが、それは違います。

ニンジンとリンゴの生ジュースに含まれる、ビタミンやミネラルなどの微量栄養素は、胃腸での吸収がよく、消化器官に負担はかけません。それどころか、断食の効能で何より大切な老廃物の排泄を、ジュース断食は水断食よりも効率的にスピードアップしてくれます。

また、ニンジンとリンゴに含まれる水分は、生きた植物に含まれる、正に〝自然の水〟で、カルキや塩酸たっぷりの水道水よりも、安心して飲むことができます。

水断食では飢餓感からまれに死亡したり、低血糖で意識不明になったりといった事故が起こります。あまりの空腹感に耐えられず、隠れて一気にたくさん食べたことが原因で起こる事故も多いようです。

ジュース断食の場合、血液に常に果糖を補充できるので安全ですし、つらくもないので、隠れ食いからくる事故など起こりようがありません。

実際、私は断食を行なう施設を主宰していますが、これまで約3万人の方が参加し、事故は一切ありません。

水断食専門の道場では、風呂や散歩は禁止、断食中は1日中ゴロゴロしていなければならないという話もよく聞きますが、私の施設ではみなさん、朝からゴルフを楽しまれたり、ゆっくりサウナに入ったりされています。スポーツをすれば新陳代謝もよくなるし、サウナに入れば老廃物が汗となって排出されるので、断食の効果はより高まります。

断食に入る前に、3日間ほどの減食期間が必要な水断食に対して、ジュース断食はすぐに始めても、体に負担はかけません。また水断食は、断食後も断食日数と同じだけの補食期間（少しずつ普通食に慣らしていくこと）が必要ですが、ジュース断食は1週間やっても、補食期間は3日ですみます。

誰でも気軽に始められ、つらくなくて、しかも効果は絶大のジュース断食の素晴らしさが、分かっていただけたでしょうか？　第3章ではいよいよ、イシハラ式プチ断食の実践法をご紹介いたします。

体験談②

プチ断食で8キロ減。肌もツヤツヤに！

K・Yさん（29歳女性・家事手伝い）

10代のころから「ダイエットおたく」といわれるくらい、いろんな方法を経験ずみの私は、体重が少々増えても、すぐに元に戻せる自信がありました。

ところが、人間関係のストレスから過食症に陥り、気がつけば何と8キロも増！　何とかやせようと努力したのですが、25歳すぎてのダイエットは大変って、本当ですね。極端に食事を減らして2〜3キロやせても、空腹感に耐えきれずにドカ食いしてリバウンド。食べすぎた翌朝は肌荒れがひどく、口のまわりに吹き出物がいっぱいできて、気分も最悪でした。

このままでは内臓までボロボロになってしまうと思い、一大決心して始めたのがイシハラ式プチ断食。ひもじくてつらいだろうと覚悟していたのに、黒砂糖を入れたショウガ紅茶を飲むと、不思議なほどお腹がいっぱいに。1カ月後にはすんなり5キロ減り、3カ月後には8キロ減に成功！　精神的に安定したせいでしょうか、ストレスを感じることが少なくなり、過食症からも立ち直りました。

もともと、季節の変わり目や雨の日にぜんそくの発作が出るため、主治医にいわれて、飲みたくもない水分を大量に摂っていたのも、むくみと肥満の原因だったようです。

口のまわりの吹き出物も消え、手で触るのが楽しみなくらい肌がツヤツヤに。これまで試したダイエット法では、たとえ体重が減っても、顔色が悪くげっそりした感じになったのに、プチ断食はこれまで以上にキレイになれるから、本当におすすめです！

第3章

3ステップで断食にトライ！

「朝だけ断食」からスタート！

断食の素晴らしい効果についてはお分かりいただけたことと思います。「そんなに素晴らしいなら、とりあえず2～3日、食事を抜いてみよう」と思った方も多いかもしれません。

でも、ちょっと待ってください！　数日ないし1週間にわたる本格的な断食を、素人の方が1人でいきなり始めるのは、おすすめできません。稀《まれ》にですが、低血糖（55ページ参照）が原因でふらついたり、不安感やイライラが増したり、頻脈や不整脈が起きることもあります。さらにこれもごく稀ですが、胃潰瘍《いかいよう》や十二指腸潰瘍になることも……。

たとえば1週間断食して、8日目にいきなり普通食を食べると、胃腸がびっくりして、その結果ひどい嘔吐《おうと》や下痢、腹痛などに見舞われ、腸閉塞《ちょうへいそく》を起こすことさえあります。

私が主宰している断食施設でも、断食後の1日目は重湯《おもゆ》＋梅干し＋みそ汁の汁のみを2回、2日目はお粥《かゆ》＋梅干し＋みそ汁＋しらすおろしを2回というように、徐々に普通食に慣らしていく方法をとっています。

3日以上の本格的な断食を行なうときには、専門家のいる施設で、きちんとした指導を受けることが不可欠なのです。

「それでは、専門施設じゃないと断食はできないの？　わざわざ出かけるのは面倒だし、お金もかかりそう……」などと、ガッカリする必要はありません！　専門施設で本格的な断食をしなくても、自宅で気軽に始められるのが、イシハラ式プチ断食だからです。

たとえば第1章でお話ししたように、朝食を抜くだけでも十分に断食の効果は得られます。まずは、「朝だけ断食」からスタートしましょう！

朝食はホントに食べなきゃダメ？

私たち現代人は、とかく食べすぎの傾向があります。朝昼晩と時間がくればキッチリ食事を摂り、そんなにお腹《なか》がすいてもいないのに、おやつや夜食までお腹に入れる――過食からくる生活習慣病に悩む方が多いのも、うなずけます。乱暴ないい方に聞こえるかもしれませんが、3食のうち、どれか1食抜くぐらいで、ちょうどいいのです。

「これから1日活動するのだから、朝食はしっかり摂るべきだ」という通説がありますが、「朝食を摂ると、胃がもたれて1日中だるい」「朝は食欲がなくて食べられない」という方は、意外と多いものです。

39ページでお話ししたように、朝食＝ブレックファストとは、断食（ファスト）をやめる（ブレイク）という意味の言葉。夕食後から朝起きるまで、短い間とはいえ「断食」しているわけですから、いきなり朝食を食べると、気持ち悪くなることさえあります。

1週間断食して、いきなり普通食を口にするのが危険なように、わずか10数時間の断食といえども、朝食に固形物を食べてつらくなるのは、当たり前といえば当たり前です。

せっかく断食効果が期待できる朝に、たっぷり朝食を摂るなんて、愚の骨頂とさえいえるかもしれません。朝食はごく少量にするか、食べたくない人は、食べなくてもいいのです。

また、「朝から食欲があるから食べたい」という人でも、高脂血症や脂肪肝（＝脂肪の摂りすぎ）、糖尿病（＝糖の摂りすぎ）、痛風（＝プリン体の摂りすぎ）、高血圧（＝塩分の摂りすぎ）など、栄養過剰が原因の病気で悩んでいる場合は、食べる必要などありません。

ただし、朝は頭をシャキッとさせて、寝起きの状態から体を目覚めさせなければいけないのも事実。脳や筋肉などを動かすエネルギー源は、糖分です。糖分が不足するとイライラ、不安、震え、失神などの低血糖発作の症状が起こることもあります。〝低タンパク発作〟や〝低脂肪発作〟という症状がないことを考えても、人間が活動するときに一番大切な栄養分は「糖」ということになります。つまり朝食の役割とは、脳と体に「糖分を補給すること」なのです。

体を温める、理想の朝食とは？

では、健康・美容の両面から考えて、もっともいい朝食とはどんなものでしょう？

私がおすすめしているのは、ニンジンとリンゴの生ジュース。そして黒砂糖（またはハチミツ）入りの「ショウガ紅茶」です。これらは糖分だけでなく、水分やビタミン、ミネラルも補給してくれます。

さらにショウガ紅茶は、美容の大敵「冷え」の特効薬！　朝から体が温まり、代謝もよくなるのです（ショウガ紅茶については、81ページ～参照）。

人間の体には、「吸収は排泄《はいせつ》を阻害する」という仕組みがありますから、食べすぎると、体のエネルギーが消化・吸収にばかり費やされ、排泄は手薄になってしまいます。胃腸に食べ物がたくさん入ってきているのに、大小便の出が悪くなるのです。その結果、老廃物が体に溜《た》まってしまうので、太るだけでなく、肌の状態など美容面にも深刻な弊害が生じてきます。

朝起き抜けは、自然の断食状態にあります。吐く息が臭い、尿が濃い、目ヤニが出る……などの症状からみても、排泄が盛んな時間帯です。

朝食をニンジンとリンゴの生ジュースと、ショウガ紅茶（どちらか1つでもOK）に替える「朝だけ断食」は、過食を慎むためにも、肥満や生活習慣病を予防するためにも、そして美容のためにも、有効な手段といえるでしょう。

プチ断食ステップ①

「朝だけ断食」メニュー

〔朝　食〕

①ニンジン2本（約400g）とリンゴ1個（約250g）を
ジューサーにかけた生ジュースを、コップ2・5杯（約400cc）
または、
②ショウガ紅茶（黒砂糖またはハチミツ入り）を1～2杯
または、
③生ジュースとショウガ紅茶を、それぞれコップ1～2杯ずつ
（①②③のどれでもOK。時間的な都合や、胃腸の状態に合わせて選んで）

〔昼　食〕

①ソバ（トロロソバやワカメソバがおすすめ）に、
ネギと七味唐辛子をたっぷりかけて

または、
②ピザに、タバスコソースをたっぷりかけて
（①②は好みや、その日の気分で選んで）

【夕　食】
お酒も含めて、何を食べてもＯＫ（できれば、和食がベター）
※日中、空腹感やのどの渇きを感じたら、ショウガ紅茶を飲む（何杯飲んでもＯＫ）

ニンジンとリンゴのジュースは市販のものより、やはり手作りが一番。とはいえ、朝から生ジュースを作るのは面倒くさいという方も多いでしょう。また、冷たいジュースを飲むと、体の中から冷えるように感じる方もいらっしゃるかもしれません。そんな方は、ショウガ紅茶だけを2〜3杯、飲めばいいでしょう。

ショウガは体を温める作用が強力なので、低体温からくる体調不良に悩んでいる方は、積極的に摂ってください。なお、ショウガ紅茶は必ずホットで。

朝食に固形物を摂らず、生ジュースやショウガ紅茶だけにすると、前日に夕食を食べ終わってから昼食を食べるまで、ジュース断食（またはショウガ紅茶断食）をしたことになります。夕食を夜7時すぎに食べ終えて、翌日の昼食を12時に食べると考えれば、約17時間も断食したことに！　立派に、「断食の効能」の恩恵を受けることができるのです。

食事と食事の間にお腹がすいたり、のどが渇いたりしたら、黒砂糖またはハチミツ入りのショウガ紅茶を飲んでください。ショウガ紅茶は、何杯飲んでもOKです。

空腹感や満腹感は、血液中に糖分（血糖）がどれだけ含まれているかで決まります。したがってショウガ紅茶で血糖値を上げれば、空腹感はピタリと止まります。お腹がすいてガマンできずに、つい「間食をして太る」という弊害も防いでくれるのです。

「昼食はソバかピザ」は、どうして？

ソバには、必須《ひっす》アミノ酸のすべてが揃《そろ》った優秀なタンパク質、血液の循環を促す植物性脂質、エネルギー源となる糖分、そしてビタミンやミネラルが豊富に含まれています。しかも、ソバは北方産で、外見が黒っぽいことからも分かるように、体を温める作用があるのです（137ページ参照）。さらにワカメや山イモ入りのソバは、整腸作用があるだけでなく、老化防止や美肌作りにも、大きな効果を発揮します。

ネギや七味唐辛子には、硫化アリルやカプサイシンが含まれているので、全身の血行をよくしてくれます。血行がよくなると、肌もキレイになります。苦手でなければ、薬味をたっぷりかけて、汗をかきかき食べてください。ソバの若返り&美肌効果を、さらに高めてくれます。

ソバが苦手な人や、毎日食べて飽きたなと思ったら、食べたい物を食べて構いません。ただしよく噛《か》んで、腹八分目をモットーにしてください。

洋食が食べたい場合は、チーズがたっぷりかかったピザがおすすめ。チーズは体を温める食品（137ページ参照）なので、体の引き締め効果が期待できます。唐辛子（カプサイシン）の入ったタバスコソースをたっぷりかけると、さらに体を温め、血行をよくしてくれるのです。

「半日断食」にトライ！

手軽な「朝だけ断食」は、毎日でもできます。「朝だけ断食」が続けられるようになったら、次は「半日断食」にトライしてみましょう。

「半日断食」については、私が日本テレビ系の「おもいッきりテレビ」に出演した際に、〝脂肪を燃やす半日断食〟と題して解説しました。

54歳の主婦のAさんに、あらかじめこの「半日断食」をやってもらい、断食前後のデータを揃えてお見せしたため、説得力は十分だったようです。番組放映後、全国からたくさんの電話をいただきました。

「半日断食」とはズバリ、朝と昼の2食を抜いて、ニンジンとリンゴの生ジュースを飲むという方法です。

次ページに挙げるのが、そのとき番組で紹介したメニューです。

「半日断食」メニュー

【朝　食】
ニンジンとリンゴの生ジュースを、コップ2・5杯
（ニンジン2本とリンゴ1個を、ジューサーにかけて作る）

【昼　食】
ニンジンとリンゴの生ジュースを、コップ3杯
（ニンジン1本とリンゴ2個を、ジューサーにかけて作る）

【夕　食】
白米ご飯（できれば黒ゴマ塩をかける）を茶碗《ちゃわん》6分目
梅干し2個　しらすおろし小鉢1杯
みそ汁（豆腐とワカメの具入り）1杯

Aさんには断食中、空腹感を感じたら、黒アメを1～2個なめるか、ショウガ紅茶（黒砂糖またはハチミツ入り）を1杯飲んでいただくことにしました。また、イライラしたり、手持ちぶさただったりしたときは、ゆっくりと散歩することをおすすめしました。昼食の生ジュースで、ニンジンとリンゴの比率を逆にしたのは、だんだん低下してくる血糖値をリンゴの甘さで少しでも高めようとする配慮です。

夕食は、白米ご飯を茶碗6分目に黒ゴマ塩をかけ（理想は玄米のお粥を茶碗1杯）、梅干し（クエン酸などの有機酸が胃液・唾液《だえき》の分泌を促し、休んでいた胃腸を刺激）と、しらすおろし（ダイコンのジアスターゼが消化を促進）、豆腐のみそ汁（みそと豆腐でタンパク質を補うと同時に、断食中、尿に多量に排泄された塩分を補給）をゆっくりよく噛み、30分くらいかけて食べていただきました。

その結果、以下のごとく、さまざまなデータで驚くべき改善をみたのです。

体重……1・5kg減少

血圧（上の血圧：正常値100～140mmHg）……141mmHg→132mmHg

血糖（正常値：60～110mg／dℓ）……110mg→92mg

中性脂肪（正常値：50～150mg／dℓ）……79mg→52mg
尿酸（正常値：5・5mg／dℓ以内）……5・0mg→3・2mg
尿素窒素（正常値：8～20mg／dℓ）……18mg→12・2mg
クレアチニン（正常値：0・7～1・5mg／dℓ）……1・1mg→0・72mg

尿酸、尿素窒素、クレアチニンは血液中の老廃物なので、これらが減少したということは、血液がキレイになったことを意味します。

また、血糖値、中性脂肪値も低下しているので、血液がサラサラになったことを表しています。Aさんは断食後に、「心身ともにすっきりした」とおっしゃっていましたが、脳波の測定でもα波が多くなっており、この半日断食が、ストレス解消にも役立ったことを物語っています。

「1日断食」にトライ！

「半日断食」ができたら次は、いよいよ「1日断食」に挑戦です。これから紹介する方法なら安全で、誰にでもできます。

ただし、いきなり行なってはいけません。「朝だけ断食」を1～2週間行ない、慣れてきたら、土曜日か日曜日などの休日に「半日断食」を実行。「半日断食」が2～3回成功してから、「1日断食」を実行……という具合に、必ず段階を踏んでください。

プチ断食ステップ③

「1日断食」メニュー

【朝　食】

ニンジンとリンゴの生ジュースを、コップに2・5杯
（ニンジン2本とリンゴ1個を、ジューサーにかけて作る）

◎AM10：00

ショウガ紅茶（黒砂糖またはハチミツ入り）を1～2杯

【昼　食】

ニンジンとリンゴの生ジュースを、コップに2・5杯
（ニンジン2本とリンゴ1個を、ジューサーにかけて作る）

◎PM3：00
ショウガ紅茶（黒砂糖またはハチミツ入り）を1〜2杯

【夕　食】

ニンジンとリンゴの生ジュースを、コップに2・5杯
（ニンジン2本とリンゴ1個を、ジューサーにかけて作る）

【翌日の朝食】

白米ご飯（黒ゴマ塩をかける）茶碗7〜8分目
梅干し2個　しらすおろし小鉢1杯
みそ汁（豆腐とワカメの具入り）1杯

空腹感や低血糖の症状（めまい、ふらつき、動悸《どうき》、震え、倦怠感《けんたいかん》など）が生じたときは、ショウガ紅茶（黒砂糖またはハチミツ入り）を飲むか、黒アメをなめるといいでしょう。ショウガは体を温め、血流をよくして代謝を高め、脂肪の燃焼、老廃物の排泄を促してくれるだけでなく、〝気を開く〟（＝気分をよくする）作用があるからです。

また、のどが渇いたら適宜《てきぎ》、お茶やショウガ紅茶、ハーブティー、ニンジンとリンゴの生ジュースなどで、水分を補ってください。

「1日断食」を行なったあと、翌日の朝食はとにかく、よく嚙んで食べてください。

生ジュースとショウガ紅茶を用いて行なうイシハラ式プチ断食では、危険な事故はまず発生しません。ただし万一、冷や汗や手足の震え、激しい動悸や腹痛、気の遠くなるような感じなどが生じたらアメ玉か、ショウガ湯（お湯にすりおろしたショウガと黒砂糖を入れたもの）を摂ってしばらく安静にします。それでも治らなかったら、お医者さんに診てもらってください。

断食明けの、食事のおいしさにびっくり！

プチ断食であっても、断食明けの1食目の食事（補食）のおいしさは、言葉にできないほどです。どんな高級料理店の和食やフランス料理もかなわない、感激するほどのおいしさがあります。

補食がおいしければおいしいほど、いかに日ごろ食べすぎていたか、食べ物への感謝が足りなかったかを、ひしひしと感じるはずです。

ご飯にみそ汁、梅干し、ダイコンおろしといったシンプルで自然な食べ物が、いかに健

康的かを味わえる瞬間でもあります。断食は、私たち現代人が忘れかけている「食事をいただくことのありがたみ」を教えてくれるのです。

薬を飲んでいる方は要注意！

日ごろから薬を常用している方は、断食を行なう際に、注意が必要です。断食をするからといって、心臓病の薬やステロイドホルモン剤、降圧剤などを、主治医への相談なしに休止するのはよくありません。逆に、断食のときに、常用している糖尿病の薬をいつも通り服用すると、低血糖を起こして取り返しのつかないことになる恐れもあります。

薬を飲んでいる方は、断食を始める前に、あらかじめ主治医に相談すべきです。

ただし、高脂血症、胃炎、痛風などの薬は、そうした病気を起こす元となる食べ物が口から入ってこないので、断食中は、飲むのを休止してもいいでしょう。

ショウガは、神様からの贈り物

ショウガは、インド原産の植物です。インドに古くから伝わる医学「アーユルヴェーダ」では、〝神様からの贈り物〟といわれているほど、珍重される香辛料です。日本には3世紀以前に、中国を経由して伝わったと『魏志倭人伝《ぎしわじんでん》』に記されています。最初は食べ物ではなく、薬として用いられていたようです。実際、漢方薬の約7割にショウガが使われています。

ヨーロッパに持ち込まれて広まったのは、15世紀の大航海時代です。コショウの次に重要な香辛料として、当時ショウガ1ポンドは羊1頭に匹敵するほど、かなり高価なものでした。

一部の上流階級に独占されていたショウガが、一般大衆にまで知られるようになったのは、16世紀にペストが流行したときです。当時のイギリス王ヘンリー8世が、「ショウガを食べた人で、ペストで死んだ人はいない。もっとショウガを食べなさい」と奨励したからです。

英和辞典でショウガ（＝ginger）を引くと、「鼓舞する、活気づける」という意味があります。ショウガが体を活性化し、元気にしてくれる食べ物だということは、古くから知られていたのです。

ショウガパワーで、体ポカポカ！

ショウガ紅茶を飲みながらの断食がおすすめなのは、どうしてでしょう？　それはズバリ、ショウガは体を温め、新陳代謝をよくしてくれるからです。諸悪の根源ともいえる「冷え」をなくし、代謝をよくするショウガは、断食の効能をグ～ンとアップしてくれます。

ショウガの辛み成分は、ジンゲロンやショウガオール。中でもジンゲロンは血液の流れをよくし、胃腸をはじめとする内臓の働きを活性化します。内臓が活性化すると新陳代謝が高まり、体温が上がってきます。

平均体温が35度台という女性に、毎朝ショウガ紅茶を飲むことをすすめたところ、開始時35・3度だった体温が、わずか1カ月で36・4度まで上がったこともあります。実際ショウガ紅茶を飲むと、すぐに体がポカポカ温まってくるのが分かるはずです。

ショウガが持つパワーは、体を温めるだけではありません。鎮痛作用もバツグンに優れています。生理痛がひどくて会社に行けなかったほどの女性が、1日数回、ショウガ紅茶を飲み始めただけで、症状がかなり緩和したケースもありました。

紅茶の赤色は「体を温める色」

ショウガだけでなく、紅茶も非常に優れた効能を持っています。お茶には緑茶、烏龍《ウーロン》茶、紅茶がありますが、違いは発酵させているかどうかです。

お茶の葉を摘んで、そのまま揉《も》んだものが緑茶、半分発酵させたものが烏龍茶、完全に発酵させたものが紅茶です。最近、話題のカテキンは、緑茶以外の烏龍茶や紅茶にも含まれています。

カテキンは、活性酸素を除去してくれる抗酸化物質（30ページ参照）で、老化を防ぎ、生活習慣病やガンなども予防してくれるスグレモノです。紅茶の赤い色の元となるテアフラビンという物質は、カテキンが重合してできたもの。インフルエンザウイルスや風邪のウイルスも退治してくれます。

また、暖かい地方の飲み物である緑茶は体を冷やしますが、緑茶に熱を加えた紅茶は、色が赤いことからも分かるように、体を温めてくれます（137ページ参照）。

つまりショウガ紅茶は、ショウガと紅茶のダブルの効果で、体を温めてくれる飲み物なのです。

こんなに簡単！　ショウガ紅茶の作り方

ショウガ紅茶の作り方は、本当に簡単です。カップに紅茶を注ぎ、すりおろしたショウガまたはショウガ汁を入れるだけ。ショウガ汁は、すりおろしたショウガを布に包んでしぼった汁のことです。ショウガの量の目安は、ティーカップ1杯に対して、すりおろしショウガなら小さじ1～2杯、ショウガ汁なら3cc程度です。

ショウガをすりおろすのが面倒なら、チューブ入りのショウガでも構いません。紅茶も茶葉から入れなくても、ティーバッグでもOKです。

もちろん、食物繊維を含むすりおろしショウガのほうが、便秘解消などによく効きます。飲みづらくないなら、すりおろしショウガのほうがいいでしょう。

ショウガ紅茶は、必ずホットで飲んでください。

黒砂糖パワーが効く！

ショウガ紅茶はそのまま飲むよりも、黒砂糖やハチミツを入れて飲んだほうが、より効果はアップします。「ダイエットを考えると、甘い物を入れて本当にいいの？」と質問する人が多いのですが、断食中の低血糖を防ぐためにも、多少の糖分は体に入れたほうがいいのです。

肝心なのは、精製された白砂糖ではなく、黒砂糖やハチミツを用いること。白砂糖は99％が糖分なので、糖分を過剰に摂取してしまいます。一方、黒砂糖はカルシウムやカリウム、マグネシウム、鉄分など多くのミネラル類やビタミンB_1、B_2を含んでいるので、適量ならば体にいいといわれています。現代中国の薬物辞典『中薬大辞典』にも、「白砂糖より黒砂糖のほうが、体を温める作用が強い」と書かれているぐらいです。

中国の他の薬膳《やくぜん》に関する書物でも、黒砂糖には次のような効果があると書かれています。

①気持ちに充実感が出る
②血液の流れをスムーズにする
③関節痛を緩和する
④お腹を温める
⑤産後の腹痛を治す
⑥食欲増進効果がある

黒砂糖入りのショウガ紅茶は、何も入れないショウガ紅茶よりも飲みやすくなるだけでなく、体をより温め、代謝を促進するので、かえってダイエットに効果的なのです。

ハチミツパワーが効く！

黒砂糖と並んで健康にいいのが、ハチミツです。

ハチミツは、古代エジプトやギリシャで、薬効があるといわれて珍重されていました。アレキサンダー大王は遠征先で死去する前に、遺体をハチミツにつけて運ぶよう遺言したといわれています。

ハチミツの研究家として知られるアリストテレスの教え子だったアレキサンダー大王は、ハチミツの持つ強い殺菌力を知っていたのでしょう。

中国の古典的医学書の『神農本草経《しんのうほんぞうきょう》』にも、ハチミツは「内臓によく痛みを止め、解毒作用がある」と書かれています。また、女王蜂《ばち》を育てるロイヤルゼリーは、寿命を延ばし、疲労回復、食欲増進、造血作用などがあるとされ、万能の健康食品として知られています。

ハチミツには、低カロリーという利点もあります。同量の白砂糖の75%のカロリーしかないので、同じ甘味を摂りたいのなら断然、ハチミツがいいのです。

紅茶の正しい入れ方

忙しいときにはティーバッグで構いませんが、ときには手順を踏んで、茶葉から紅茶を入れると、香りと味が本当によくなります。時間にゆとりがあるときに、ぜひ試してみてください。

①あらかじめ沸かした湯で、ティーポットを温めておく
②ティースプーンで茶葉をティーポットに入れる。人数分＋1杯が目安
③湯を沸かす。沸騰した直後に火を止める
④③のお湯を勢いよくティーポットに注ぐ
⑤ティーコジー（保温カバー）をかぶせ、4～5分茶葉を蒸らす
⑥ティーストレーナーで茶葉をこしながら、カップに紅茶を注ぐ

ニンジンは女性の強い味方！

ニンジンは東洋医学的にいうと、色が濃くて堅いので、体を温める食べ物の１つです（１３７ページ参照）。西洋医学的にいうと、人間に必要なビタミンやミネラルをほとんど含んでいる、完全栄養食品です。

29ページでお話ししたように、植物は生まれてから死ぬまで、場所を移動することができません。紫外線が当たっても、毒蛇に噛みつかれても、逃げられないのです。ですから、活性酸素を除去したり毒を無毒化する物質（＝ファイトケミカル）がたくさん含まれています。ニンジンは、このファイトケミカルの固まりのような野菜なのです。

また、ニンジンはご存じの通り根菜類ですが、根菜類は腰から下の健康にいいといわれています。動物も植物も同じ生物と考えれば、植物の根に当たる部分は、人間の腰から下に当たります。腰から下が弱っているなら、同じ根の部分である根菜類を食べなさい――というのが、東洋医学の知恵なのです。

生理不順や生理痛なども、子宮や卵巣はおヘソから下にあるので、根に当たる部分に問題があります。ニンジンの赤い色は、体を温める色（137ページ参照）なので、ニンジンを食べれば下半身が温まって、婦人病や不妊症にも大変効果的です。私がニンジンジュースのことを〝妊娠ジュース〟と呼んでいるのは、ジュース断食を行なって赤ちゃんができたケースが、数多くあるからなのです。ニンジンは、女性の強い味方といえるでしょう。

ニンジンは腎臓などの泌尿器の機能低下にも効果的です。漢方で腎気（精力）が衰えることを「腎虚《じんきょ》」といいますが、腎虚は生命力の衰えの象徴。歳《とし》を重ねると、誰でも腎虚気味になりますが、ニンジンはそうした衰えも防いでくれるのです。

リンゴは腸をキレイに保つ！

リンゴは栄養学的にみて、フルーツの中でもっとも優れたものの1つです。ビタミンやミネラルがたっぷり含まれているのはもちろん、整腸作用があることでも知られています。

昔は病気見舞いというと、リンゴを持っていったものです。風邪で寝込んだりすると、母親がすりおろしたリンゴを食べさせてくれた……なんて思い出のある方もいらっしゃると思います。リンゴは病気で弱った胃腸にやさしいということを、人は経験的に知っていたのでしょう。

リンゴの酸味の元となるリンゴ酸は、炎症を抑える作用があります。リンゴに含まれるペクチンは、下痢にも便秘にも効くといわれています。また、リンゴはもともと北方が原産なので、体を冷やしません（137ページ参照）。食物繊維もたっぷり含まれているので、便秘で悩んでいる人にはとりわけ、おすすめです。

「リンゴ1つで病気知らず」と昔からよくいわれるのは、リンゴが腸をキレイにするからです。食べた物をきちんと消化・吸収して、老廃物をきちんと排出し、腸をいつもキレイに保てば、おのずと健康になれます。

ニンジンは腎臓や生殖器に効き、リンゴは腸に効く。両方合わせて飲むことで、体の中から、美しさを保つことができるのです。

体験談③

終わったはずの生理が再開してビックリ！

M・Sさん（50歳女性・主婦）

40歳をすぎてから、全身の倦怠感やめまい、耳鳴り、動悸、息切れなどに悩み、ここ2〜3年は外出もままならないほどでした。病院で「甲状腺機能障害」と診断され、投薬治療を受けていましたが、いっこうに治る気配はありません。主人に抱えられるようにして、石原先生のクリニックを訪れたときは、身長158センチ、体重70キロの肥満体でした。

そこで先生に、「水分を毎日たくさん飲むのに、排尿が少なく汗をかかない水毒症」と診断され、利尿作用と血行をよくする漢方薬を処方していただくと同時に、イシハラ式プチ断食をすすめられました。①水分を余分に摂らない　②のどが渇いたらショウガ紅茶を飲む　③朝食は生ジュースを飲む　④昼はソバ類にする　⑤夕食は和食中心に、しっかり噛んで腹八分目を心がける……の５点を実行するよう指示を受けました。

2〜3日すると、驚くほどの排尿と排便があり、徐々に体重も減ってきました。１カ月目には4キロ減、4カ月目には10キロ減、7カ月目には15キロ減とやせただけでなく、35.4度しかなかった体温が、36.4度まで上がったのです。白髪が黒くなり、髪や肌にもツヤが戻ってきました。いちばん驚いたのは、43歳で閉経していたのに、再び生理が始まったことです。これも先生のいわれる、「断食の若返り効果」なのでしょうか。

長年悩んでいた倦怠感などの症状もなくなり、すっかり健康体に。やせたことはもちろんですが、若さを取り戻したことが、女性として何よりうれしく思っています。

第4章

スペシャルケアでとことん美肌キープ！

若さイコール「肌の美しさ」

美しいといわれる女性を見ると、共通に感じることが1つあります。それは、どの女性も「肌そのものが美しい」ということです。そう、健康な美しい肌を作り、その状態を保ち続けることが、美人への第一歩なのです。すべすべで張りのある肌はメイクも映えて、美しさがいっそう引き立つでしょう。

では、美しい肌を作るためには、どうしたらいいのでしょうか?

肌（皮膚）の重さは、体全部で約3キロといわれています。人間の体の中で、もっとも重い臓器といえる肌は、健康状態と老化の程度も表します。「血色がいい（または悪い）」「肌のツヤがいい（または悪い）」で、素人でも相手の健康状態をある程度、判断できます。また、シワやシミ、くすみなどの状態で、相手が何歳ぐらいなのかが、だいたい推測できるものです。

日本医大の研究グループが行なった調査で、「見かけの年齢は、その人の老化度を正しく表す」という結果が出ています。この調査は、30歳から80歳までの男女８００人を対象に行なわれたものです。

まずは被験者を、「見かけと実年齢が、ほぼ一致している」「実年齢より若く見える」「実年齢より老《ふ》けて見える」の３つのグループに分けます。そして、生理機能などをいろいろチェックしてみると、実年齢にかかわりなく、「若く見えるグループ」は肉体的にも若いし、「老けて見えるグループ」は肉体的にも老化していることが分かったのです。

つまり、見た目が若い人は体も若く、見た目が老けている人は体も老化が進んでいるということになります。というのも、「見かけの年齢」を大きく作用する肌は、いろいろな臓器と密接にからみ合っているからなのです。

「皮膚は内臓の鏡」といわれるように、胃腸が荒れていれば肌に吹き出物ができたりしてザラつき、肝機能が弱まれば肌がくすんできたりします。肌はいわば、内臓の〝出店〟のようなものなのです。

血液をキレイにして瘀血《おけつ》を防ぐ断食が、シミやシワ、くすみのない美しい肌を作ることは、これまでお話しした通りです。

この章では断食美容の応用編として、マッサージや温シップ、手作りのナチュラルパックなどを紹介し、とことん美肌を追求します。

肌と内臓の知られざる関係

肌と内臓の関係については、意外に知られていないのではないでしょうか？　ここで肌（皮膚）の働きを、簡単に説明しましょう。

①呼吸作用

呼吸は肺でするものと思われていますが、実は０・６％が皮膚呼吸です。皮膚から取り込む酸素の量は、１日で約50ℓにもなります。

②心臓の補助作用

寒い場所にいると、頬《ほお》が真っ赤になった覚えはありませんか？　これは皮膚の血管を広げ血流をよくして、心臓への負担を和らげているために起きるものです。皮膚は外気の寒暖を感じることで、皮膚の下を流れる血管の収縮・拡張を調節して、全身の血流・血圧に影響を与え、心臓の働きを助けています。

③ 老廃物の排泄《はいせつ》作用

余分な塩分や尿素、尿酸、クレアチニン、乳酸などの老廃物を、汗として排泄し、血液をキレイにします。汗以外にも、皮膚からは目に見えない水分（水蒸気）が、毎日800ccも排泄されています。これを不感蒸池《ふかんじょうち》といい、腎臓の働きを代行しているわけです。

④ 免疫に関与

皮膚の表皮（98ページ参照）には、ケラチノサイトという細胞があり、サイトカインという物質を分泌して、白血球の働きを促したり、抗体（免疫物質）の産生を促進したりします。

⑤ 吸収作用

重金属、スルファミン、ステロイド、ビタミンAなどが、皮膚から吸収されます。

⑥ 合成作用

皮膚の表皮細胞では、ビタミンDが合成されます。

⑦ その他

皮膚はやわらかく弾力があるため、外部からの物理的な刺激を防ぎます。また、皮膚の表面は酸性（pH5・5〜7・0）なので、細菌やカビの侵入を抑止する働きもあります。さらに、血管の収縮・拡張によって体温を調節し、触覚・痛覚・温度覚を、中枢神経に伝える働きもしています。

皮膚の仕組みって、どうなってるの？

皮膚は外側から順に、表皮《ひょうひ》、真皮《しんぴ》、皮下《ひか》組織の3つによって構成されています。

●表皮

表皮の成分の大部分は、ケラチノサイト（角質細胞）です。これにメラノサイト（色素細胞）やランゲルハンス細胞が、少数存在しています。ケラチノサイトは、表皮の最下層（＝基底層）で分裂し、表皮に向かって少しずつ硬くなりながら押し出され、最終的に表皮から脱落します。表皮のもっとも上の層は、ケラチンという硬いタンパク質で満たされており、表皮の下の層や真皮を保護しています。

ケラチノサイトのキメが細かく健康なことが、見た目の皮膚の美醜に大きく関係しています。ちなみに、表皮がまったく新しく入れ替わるのには、平均42日かかるといわれています。

●真皮

真皮には、たくさんの膠原線維《こうげん》（主成分はコラーゲン、つまりタンパク質）と、少量の弾性線維（エラスチン）があって、しなやかでありつつ強固な結合線維を作り上げています。皮膚が、弾力性と柔軟性がありながら適度に硬いのは、この真皮の構造と働きによるわけです。真皮には、血管やリンパ管が縦横に張り巡らされています。特にエクリン汗腺《かんせん》の周囲には、血管網が発達していて、この付近の血流がよくなって体温が高まると、発汗が促されます。

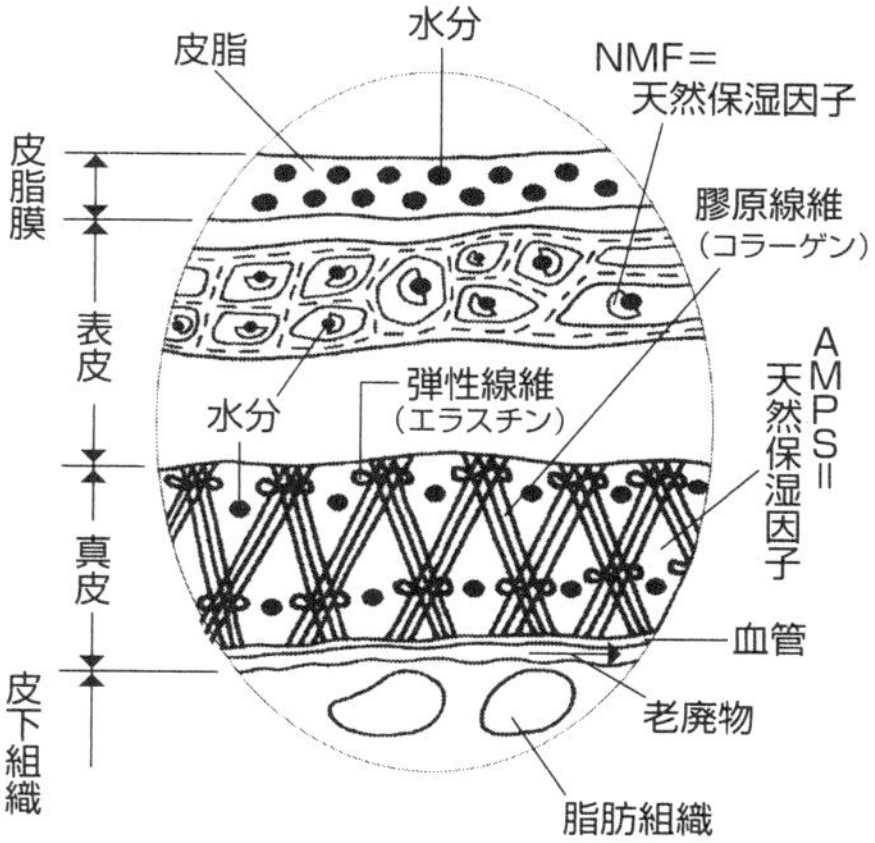

ちなみに血管は表皮まではきておらず、この真皮止まりなので、ちょっとしたカスリ傷程度では、出血しません。

また痛覚（痛みを感じる）、触覚（触られていることが分かる）、温度覚（熱い冷たいが分かる）などの、感覚受容器も存在しています。

●皮下組織

真皮の下は、皮下脂肪の層です。脂肪をいっぱいに含んだ黄色い脂肪組織が、ブドウの房のように存在していて、外からの圧力に対するクッションの役割や、体温の発散防止の役割をしています。皮下脂肪組織には、血管やリンパ管も意外に多く存在しています。

肌の老化が進むのはどうして？

肌の老化の三大因子は、「乾燥、紫外線、血行不良」といわれています。

冬、大気の温度が低下し乾燥してくると、表皮細胞や角質の水分が奪われ、肌表面の柔軟性が失われます。その結果、肌がカサついたり、シワができたりします。

紫外線は、皮膚の細胞の遺伝子を傷つけ、皮膚ガンの原因になります。さらに紫外線は、真皮を縦横に走っている膠原線維（コラーゲン）と、その間をバネのようにつないでいる弾性線維（エラスチン）を破壊して、肌の弾力性をなくしてしまいます。

破壊されたコラーゲンが回復するためには、血液が運んでくる水、酸素、ビタミンCなど、さまざまな栄養素が必要です。ところが、肌の血行が悪いと当然、コラーゲンの再生が妨げられるわけです。

つまり肌の若さを保つためには、表皮細胞の水分を保つことと、コラーゲンの生成を促すことが大切になってきます。

平均42日で入れ替わるとされる表皮細胞を、みずみずしくすこやかに保つには、ビタミンB_3やビタミン様物質のB_{15}が必要です。

ビタミンB_3（ニコチン酸、またはナイアシン）には、表皮細胞のＮＭＦ（natural moisture factor＝天然保湿因子）の生成を促す作用や、コラーゲンの合成を高める作用があります。ビタミンB_3を多く含む食品は酵母、緑葉野菜、胚芽、ナッツ類、ヒマワリの種子、ピーナッツ、玄米、黒ゴマ、レバー、カツオ、イワシ、サバなどです。

B_{15}（パンガミン酸）は、皮膚をはじめ体内の組織細胞への酸素の供給を高め、組織の活性化を促す作用があります。玄米や種子類、黒ゴマ、ナッツ類、レバーなどに多く含まれています。

コラーゲンの生成を促すには、ビタミンＣ、レチノイン酸、レチノールなどの栄養素を十分に摂《と》るほかに、肌のマッサージ（１０７ページ参照）がとりわけ効果的です。

あなたは乾燥肌？　それとも脂性肌？

肌には大きく分けて、乾燥肌と脂性肌の2つのタイプがあります。それぞれのタイプで、肌に対する対処法が異なりますので、ここで説明しましょう。ただし、誰しも春夏は脂性肌、秋冬は乾燥肌になる傾向があります。また、額から鼻筋のいわゆるTゾーンは脂性肌で、ほかが乾燥肌という混合タイプの方もいらっしゃいます。

●乾燥肌（ドライスキン）

肌の色がくすみがちで、皮膚の血行が悪い人が多いようです。皮脂の分泌や発汗が少なく、カサつきから肌荒れを起こしやすく、化粧のノリも悪くなります。

乾燥肌は乳液や美容液、クリームなど、外から油分を補充するだけでは解消しません。体温が低くて血行が悪い人に乾燥肌の多い傾向があるので、まずは体を温め、健康的な生活をすることがポイントになります。

乾燥肌の対策としては、以下の5つが代表的です。

①入浴、サウナ、温泉、散歩などで体を温める

②陽性食品（137ページ〜参照）を摂る

③皮膚の代謝に深く関係しているビタミンAの多い食物（154ページ〜参照）を摂る

④睡眠不足にならないよう注意する

⑤弱酸性の化粧品を使い、就寝前のクリームを欠かさない

●脂性肌（オイリースキン）

皮脂腺や汗腺からの皮脂や汗の分泌が多すぎて、いつもテカテカと脂っぽい肌です。バイ菌やホコリがくっつきやすいので、肌が汚れるばかりでなく、皮膚の感染症を起こしたり、化粧疹《しん》やニキビができやすいのも特徴です。化粧崩れも悩みのタネでしょう。外から皮脂を取り除くだけでなく、食事などで体質改善をすることが必要となります。

脂性肌の対策としては、以下の2つが代表的です。

①洗顔を1日数回行ない、肌を常に清潔に保つ

②脂肪代謝にかかわっている、ビタミンB_2をはじめとするビタミンB群の多い食品（154ページ〜参照）を摂る

血行をよくして美肌になる！

皮膚の細胞の新陳代謝を高めるためにも、コラーゲンの生成を促すためにも、血行をよくすることが大切です。血液の中には栄養素や水、酸素、免疫物質、白血球など、皮膚の若さを保ち、皮膚の病気を防ぐためのあらゆる物質が含まれています。それらを全身、くまなく行き渡らせなくてはいけないのです。

エアコンのきいた室内に閉じこもってばかりいると、皮膚で感じる温度変化が少なくなり、血行も悪くなります。健康のためにも美肌作りのためにも、戸外で活動したり、スポーツや散歩をするようにしましょう。

戸外に出れば、温度差のある新鮮な空気が皮膚の血管の拡張と収縮を促進して、血行

をよくします。適度に体を動かせば心拍数が上がり、血行はさらによくなります。心拍数が上がれば、皮膚の細胞だけでなく、全身の細胞への酸素や栄養分の供給が増して、代謝は活発になります。代謝が活発になれば、ホルモンを分泌する臓器の活動を刺激して、皮膚の若さを保ってくれるというわけです。

ただし太陽に当たりすぎると、紫外線が皮膚の細胞を傷つけ、シミやシワの原因にもなるので要注意！　日光に肌（特に顔）を15分以上直接さらさないよう、気をつけてください。長時間スポーツをしたり、散歩をしたりするときは、日焼け止めクリームをつけ、帽子や日傘で紫外線をシャットアウトしましょう。

皮膚の血行をよくする、もっと簡単な方法もあります。それは、シャワーで温浴と冷浴を繰り返すこと。このとき、必ず冷たいシャワー（冷浴）で終わるようにしてください。冷浴すると血管が収縮して、結果的に体が温まるからです。

1日数回、冷たい水で顔を軽く洗うのも効果的です。顔を洗ったあとは、乾いたタオルで拭《ふ》き取り、鏡を見てみましょう。顔色がイキイキとピンク色に引き締まり、途端に若返ったように感じるはずです。この冷水洗顔も、顔面の皮膚の下を流れる血管を刺激し、血行をよくしてくれるのです。

肌のマッサージで、くすみを取る！

肌のマッサージは、汗腺や皮脂腺の分泌を増やして、皮膚をなめらかにするだけではありません。表皮の毛細血管の血行をよくして、老廃物の排泄を促し、くすみを取る効果があるのです。さらに、真皮の中のコラーゲンの合成を促し、プロテオグリカンというNMF（天然保湿因子）の合成を増やす働きもあります。

マッサージの方法は、それぞれの専門家によって多種多様ですが、目的は「肌の血行をよくすること」なので、あまり形にとらわれず、自分が一番やりやすく長続きする方法でいいでしょう。ですから、絶対これでなければ！　というものではありませんが、

①右の手のひらを、下顎のところにあてがう

②手のひらに軽く力を入れ、内側に円を描きながらマッサージ

③マッサージしながら、頬、目尻、目の上を通って、額まで上っていくという動作を、数回繰り返す

④その後、左手のひらを下顎のところにあてがい、同様に額までマッサージ

私が効果的だと思う方法を、右ページのイラストで紹介しておきます。

この方法でマッサージすると、顔面の筋肉に十分に刺激を与えられます。筋肉を動かせば、その中を走っている血管の収縮と拡張を促して、血行を強力によくしてくれるというわけです。肌の表面を軽くなぞるのではなく、押すようにして刺激を与えるのがポイントです。

シワは体の中から予防する

皮膚や筋肉、骨など、体内のすべての組織で、細胞と細胞を結びつけ、その組織の強度と安定性を保つのに必要なタンパク質が、コラーゲン（膠原線維）です。

コラーゲンの生成や働きには、ビタミンA、C、Eが必要ですが、その中でも特にビタミンCが重要です。ビタミンCは、コラーゲンを作るオキシプロリンの材料となるため、不足するとコラーゲンが作られなくなります。そればかりか、コラーゲンの破壊が進み、皮膚や筋肉が緊張と弾力を失って、生気をなくしてしまうことになります。

それだけではありません。コラーゲンが少なくなるとシワが生じ、瞼《まぶた》や頬がたるみ、やがて腕や下肢の皮膚にもたるみが生じ、唇にもふくよかさがなくなってきます。

また、ビタミンAが欠乏すると、皮膚や粘膜の乾燥と角質化が進み、いわゆる乾燥肌になります。シワが生じるだけでなく、細菌への抵抗力も低下し、発疹《ほっしん》や化粧疹もできやすくなります。

ビタミンE（トコフェロール）はもともと、不足すると不妊症になるということで発見されたビタミンです（トコはギリシャ語で「妊娠」の意味）。その後、末梢血管の血行をよくしたり、細胞分裂（一生に分裂する回数は、通常50回）の回数を延ばすことにより、若返りと延命効果を発揮することが分かってきました。シワのない若い肌を保つうえで、ビタミンEはとても大切なのです。

ビタミンA、C、Eを多く含む食品については、１５４ページ〜を参照してください。

温シップでシワ退治！

朝の洗顔後、顔や首などシワの気になる個所に、温シップをしましょう。

小さいタオルをお湯で濡《ぬ》らして軽くしぼり、それを1〜2分、顔や首に当ててシップします。その後、冷水をかけてタオルで拭きます。仕上げに塩水（コップ1杯の水に塩を小さじ2分の1ぐらい溶かす）をコットンになじませ、軽くパッティングすると、より効果的です。毎朝でなくても構いませんが、続けることでシワが目立たなくなり、肌がふっくらとしてきます。

シミ対策にもプチ断食！

シミといえば紫外線、というのが一般常識となっているようです。表皮と真皮の境に存在する、メラノサイトという細胞は、紫外線を浴びることでメラニン（mela＝黒の意味）という黒色の色素を作り出します。メラニンは皮膚にとって必要なものですが、紫外線を浴びすぎると過剰生産され、それが肌の表面に浮き出たものが、シミとなるわけです。

しかしシミの原因は、それだけではありません。

皮膚からは汗や皮脂以外に、尿素や尿酸などさまざまな老廃物が排泄されています。瘀血＝汚血（20ページ～参照）のある人は、皮膚のほうから老廃物を排泄して、血液を浄化しようというメカニズムが強く働きます。そうした老廃物が皮膚に沈着して、シミとなって残るわけです。シミを作る代表的な老廃物として、脂肪が酸化してできる老化物質のリポフスチンがあります。

ストレスもシミの原因になります。ストレスが溜《た》まると、自律神経が乱れて交感神経が緊張し、活性酸素が発生してシミができやすくなります。

また、内臓障害やカフェインの摂りすぎなども、シミの原因になります。たとえば肝臓の働きが悪くなると、体内の女性ホルモン＝エストロゲンの量が増え、メラノサイトを刺激します。

つまりシミ対策としては、紫外線の防止だけでなく、プチ断食によって瘀血を解消することが効果的なのです。プチ断食を続けることで、できてしまったシミも薄くなったり、消えたりします。もちろん、ビタミンCをたっぷり摂り、ストレスのない生活をすることも大切です。

キュウリ、ハチミツ、卵白で美肌に！

昔から日本でヘチマ水が愛用されたように、欧米でも同じウリ科のキュウリが、自然化粧品の代名詞でした。キュウリには、皮膚の健康に不可欠なケイ素（ミネラルの一種）や、ホルモン様物質（自然の植物ホルモン）が含まれていて、人体にまったく無害な収れん剤（astringent＝アストリンゼント）なのです。特に、シワの改善や予防に役立ちます。

ハチミツは、ＮＭＦ（天然保湿因子）を含んでいるため、皮膚をしっとりとやわらかくする作用があります（ただし、血管が透けて見えるような肌質の人には、おすすめしません）。

卵の白身（アルブミン）は、いわば〝自然の収れん剤〟です。その優れた収れん効果は、ゆるんだ肌を引き締め、張りをもたらしてくれます。

キュウリ、ハチミツ、卵白は安くて手軽に利用できる、自然化粧品の代表といえるのです。これらの材料を組み合わせた、美肌&若返り効果のある化粧品の、簡単な作り方を紹介しましょう。

キュウリ&ハチミツ

① キュウリ2本（約200g）をジューサーにかけ、コップ1杯のジュース（約180cc）を作る
② 大さじ3分の1のハチミツと①とを広口の空きビンに入れて、よくかき混ぜる
③ このキュウリ&ハチミツ水にコットンを浸して、顔や首につける。そのまま拭き取らずに、1晩おく

キュウリ&スキムミルク&ハチミツ

① キュウリ1本、スキムミルク4分の1カップ、ハチミツ大さじ2分の1、氷1個を用意する
② キュウリを3cmくらいに切り、スキムミルク、ハチミツ、氷と一緒にミキサー

にかける。あまり長くかけると液状になり効果が落ちるので、ほんの数秒ミキサーを回し、「粥状《かゆ》」程度の固さにとどめる

③顔、首などに、②の液体を手で直接塗りこむ。そのまま15分くらい横になって休んだあと、冷水で洗い、乾いたタオルで拭き取る

ハチミツ&レモン

①冷水1カップ（180cc）に、大さじ1のハチミツを溶かす

②①に、茶さじ1程度のレモンの搾《しぼ》り汁を加える

③②に、コットンを浸して、顔、首、手につける

※ハチミツやレモンは、NMF（天然保湿因子）を含むため、皮膚を保湿し、やわらかくする作用に優れている。とりわけ皮膚の酸性度が低下し、防御力が弱まる入浴後に使うと、吸収がよくて効果的

卵白&ハチミツ

①卵1個分の卵白と、大さじ2分の1のハチミツを、茶碗《ちゃわん》に入れてかき混ぜる

② ①を手で直接、顔や首につける

③ そのまま15分くらい横になって休んだあと、冷水で洗い、乾いたタオルで拭き取る

※ 卵白の収れん効果とハチミツの保湿作用の相乗効果で、肌が引き締まると同時にみずみずしくなる

「ナチュラルパック」で肌が若返る！

パックは、肌を温めて代謝を促進させることで、細胞レベルから若さをよみがえらせる優れた方法です。ひとくちにパックといっても、肌の症状や目的別に、多種多様な商品が市販されています。ただし市販のパックは、さまざまな添加物を使っているので、肌に合わずトラブルの原因になることも……。

その点、野菜やフルーツを使った「ナチュラルパック」なら安心です。何しろ〝口に

入れても大丈夫な化粧品〟なのですから！　これから紹介するナチュラルパックは、私の断食施設でもおすすめしているものです。どんな肌の状態でも、どんな年齢でも悪影響を与えずに、若くてみずみずしい素肌を作ってくれます。

パックをするときには、以下の5つのルールを守ってください。

①パックの前に、ていねいに洗顔し（お風呂のあとが理想的）、温かいタオルを2～3回顔に当てて、肌を温める

（肌が冷えるときが一番、パックのエキスを吸収するため）

②目のまわりと鼻の下はデリケートな部分なので、塗らないように注意する

③パックをしているときは、できるだけ横になり、リラックスした状態で

④15～20分を目安にする（パックの種類によって、多少の違いあり）

⑤パックをしたあとは、冷たい水で顔をよく洗う

（フルーツの成分などが残ったまま日に当たったりすると、肌に悪影響を与えることも）

●ナチュラルパック①
ハーブ

①小さな鍋に、カモミール大さじ1を入れてお湯100ccを注ぎ、1度沸かす
②水筒などに入れてフタをし、10〜15分蒸らす
③フェイスタオルやオシボリなどに、ハサミで鼻の穴がでるように穴をあける
④③を②に浸し、少し絞って、顔に当てる
⑤その上にラップをし、乾いたタオルをのせて、15分おく

↓ニキビや吹き出物、シワやくすみにも効果的

●ナチュラルパック②
卵の黄身

①卵の黄身半個分に、ハチミツ小さじ1を混ぜる
（乾燥肌の人は、さらにバージンオリーブオイル小さじ1を加える）
②①を顔に塗って15分おき、ぬるま湯で洗い流す

↓栄養の足りない肌や、シワに効果的

●ナチュラルパック③

ジャガイモ

①すりおろしたジャガイモ大さじ1に、牛乳大さじ2と小麦粉大さじ2を加えて混ぜる

②①を顔にのせて、15分おいたら洗い流す

↓むくみに効果的

●ナチュラルパック④

イチゴ

①イチゴ10個をミキサーにかける

②①をティッシュペーパーなどで吸い取り、顔に当てる
（イチゴ1個を半分に切って、顔にのせても可）

③15分おいたら洗い流す
（万一、肌が赤くなっても、イチゴの色素のせいなので問題なし）

↓肌をなめらかにして、弾力性を高める

●ナチュラルパック⑤

レモン（またはグレープフルーツ）

①レモンまたはグレープフルーツを搾る

②コットンに①をつけ、顔に塗る

③10～15分おいたら洗い流す

↓朝晩行なえば、シミやソバカスに効果的

●ナチュラルパック⑥

ヨーグルト

①プレーンヨーグルト適量を、スプーンで顔にのばす

②20分ほどおいて、ぬるま湯で洗い流す

↓肌を清潔にし、栄養を与える。美白効果も

●ナチュラルパック⑦

ハチミツ&生クリーム

① ハチミツ小さじ1に、生クリーム大さじ1を混ぜる
② ①を顔に塗り、15分ほどおいてぬるま湯で洗い流す

↓肌をしっとりと、やわらかくする

●乾燥肌用ナチュラルパック①

マッシュポテト

① 温かいマッシュポテトに卵の黄身1個分と、温めた牛乳大さじ1を混ぜ、顔に当てる
② 15〜20分おいて、ぬるま湯で洗い流す

●乾燥肌用ナチュラルパック②

トマト

① トマト1個をすりおろし、片栗粉《かたくりこ》小さじ1と、バージンオリーブオイル小さじ1

を混ぜて、顔に当てる
②5〜20分おいて、ぬるま湯で洗い流す

●乾燥肌用ナチュラルパック③

サワークリーム

①サワークリーム大さじ1に、ハチミツ小さじ1とレモン汁少々を混ぜて、顔にのばす
②15〜20分おいて、ぬるま湯で洗い流す

●乾燥肌用ナチュラルパック④

キャベツ＆牛乳

①キャベツ1〜2枚をみじん切りにして、牛乳150㏄と混ぜる
②①を小鍋に入れて煮る
③②が冷めたら顔にのせる
④20分ほどおいて、ぬるま湯で洗い流す

●乾燥肌用ナチュラルパック⑤

フルーツいろいろ

①フルーツ（リンゴ、イチゴ、ナシ、ウメなど）をすりおろして、顔に当てる
②15～20分おいて洗い流す

●脂性肌用ナチュラルパック①

ブドウ

①ブドウ2～3粒をつぶして、出た汁をそのまま肌に当てる
②15～20分おいて洗い流す

●脂性肌用ナチュラルパック②

ニンジン

①ニンジン1本をすりおろし、ベビーパウダー適量（または牛乳大さじ1）と混ぜて顔に当てる
②15～20分おいて洗い流す

●脂性肌用ナチュラルパック③

リンゴ

①リンゴ2分の1個の皮をむき、細かくきざむ

②①を牛乳150ccで、やわらかくなるまで煮る

③②を40度程度に冷まし、顔に当てる

④15～20分おいて洗い流す

●ニキビ肌用ナチュラルパック①

キュウリ

①キュウリ1本をすりおろす

②ティッシュペーパーなどに①をのばして顔全体に当て、10～15分おいて洗い流す

●ニキビ肌用ナチュラルパック②

イースト菌

① イースト菌1袋に、温めた牛乳大さじ3を加えて5分おく
② コットンなどに①をのせ、顔に当てる
③ 15分おいて洗い流す

「ナチュラル美白パック」でシミ・ソバカス退治！

顔かたちだけでなく、「肌の色」でも女性の若さが分かるといわれます。肌の色を左右するのは、くすみがあるかどうかだけでなく、シミやソバカスがあるかどうかも、重要なポイントです。

シミやソバカスが顔の表面を覆っていたら、「見た目の年齢」はグンとアップしてしまいます。歳を重ねることに、肌にはメラニンができて、シミやソバカスが増えてきま

すから、日焼けを避けて肌を紫外線から守るだけでなく、積極的なシミ・ソバカス対策をすることが、肌の若返り対策として重要です。

断食がシミやソバカスをなくすことは、第2章でお話ししました。ここでは、その効果をさらに高める、「ナチュラル美白パック」を紹介します。もちろん添加物ゼロの〝口に入れても大丈夫なパック〟ですから、肌が荒れるなどのトラブルや副作用もなく、安心して使えます。

●ナチュラル美白パック①

卵の白身

①卵の白身1個分に、レモン汁小さじ2分の1を入れて泡立てる
②①の泡を顔に塗り、乾いたらもう1度塗る。再度乾いたら、また塗る
③15分おいて洗い流す

●ナチュラル美白パック②

パセリ

①パセリ2～3本を、みじん切りにして、すり鉢でする
②①に、おろしたキュウリ3分の2本分を加え、混ぜ合わせる
③②を顔にのせて、15分おいて洗い流す

週末のスペシャルケアで、もっと美肌！

週に1回くらいは、念入りに肌の手入れをする日を作りましょう。1時間ほど集中的にケアすれば、化粧のノリもよくなり、見違えるほど肌がイキイキとしてきます。

まず、カモミールなどハーブを入れたお風呂に、ゆっくり浸《つ》かります。その後、温シャワー、冷シャワー、温シャワーというように温冷浴を2～3回繰り返します。入浴後は、レモン入りの熱い紅茶を飲みます。

ひと息ついたら、顔と首にパックをします。肌のタイプ別に、以下のようなパックを使

い分けてください。自分の肌に合ったパックを塗ったら横になって、静かに音楽などを聴きながらリラックスします。20分ほどたったら顔を洗い、通常のお手入れをします。

◆**乾燥肌用スペシャルパック**

サワークリーム大さじ1、カッテージチーズ大さじ1、塩少々をよく混ぜて、顔と首に塗る

※カッテージチーズは、牛乳を火にかけて酢を適量加え、分離したものをこして冷ませば、簡単に作ることができる

◆**脂性肌用スペシャルパック**

卵の黄身1個分、バージンオリーブオイル小さじ1、ハチミツ小さじ2分の1、レモン汁少々、牛乳大さじ1をよく混ぜ、顔と首に塗る

◆**普通肌用スペシャルパック**

温めた牛乳大さじ4に、米ぬか(またはソバ粉)適量を混ぜて、顔と首に塗る

首のスペシャルケア

「女性の年齢は、首と手の状態を見れば分かる」といわれるように、首と手は意外に目立つところにもかかわらず、顔に比べるとケアを忘れがちです。顔の手入れをするときに、コットンなどに残った乳液や化粧水を首や手につけるよう習慣づけると、自然にキレイになります。さらにときどきは、ナチュラルパックなどスペシャルなケアをすれば完璧《かんぺき》です。

首の皮膚は、とてもデリケート。ゴシゴシこすらず、やさしく洗いましょう。

朝は冷たい水で洗い、そのあと化粧水、乳液など顔と同じものをつけます。夜はメイク落としから洗顔まで、顔と同じように洗い、やはり顔と同じ手入れをします。

洗顔の際に、フェイスタオルを塩水に浸けてよく絞り、下から顎《あご》を軽く叩《たた》くようにすると、シワを防ぐことができます。

週に1回は、もっとスペシャルなケアをしましょう。まず、①フェイスタオルを熱い塩水に浸け、絞って首に当てます。②別のフェイスタオルを冷たい塩水に浸け、絞って首に当てます。これを3～4回繰り返します。最後は冷たい塩水で終わるようにします。あとは軽くクリームをつけるなど、通常の手入れをしてください。

乾燥肌が気になる人は、首の肌も乾燥していることを忘れないで。ときどき、オリーブオイルを使ってオイルパックをしましょう。即効性があり、首の肌がうるおいます。

まず、オリーブオイルを40～45度まで温め、5～6枚に折りたたんだガーゼを浸して湿らせます。このガーゼを首に当て、ラップをします。その上に乾いたタオルをのせて30分おき、余分なオイルを拭き取ります。マッシュポテトのパック（122ページ参照）なども有効です。

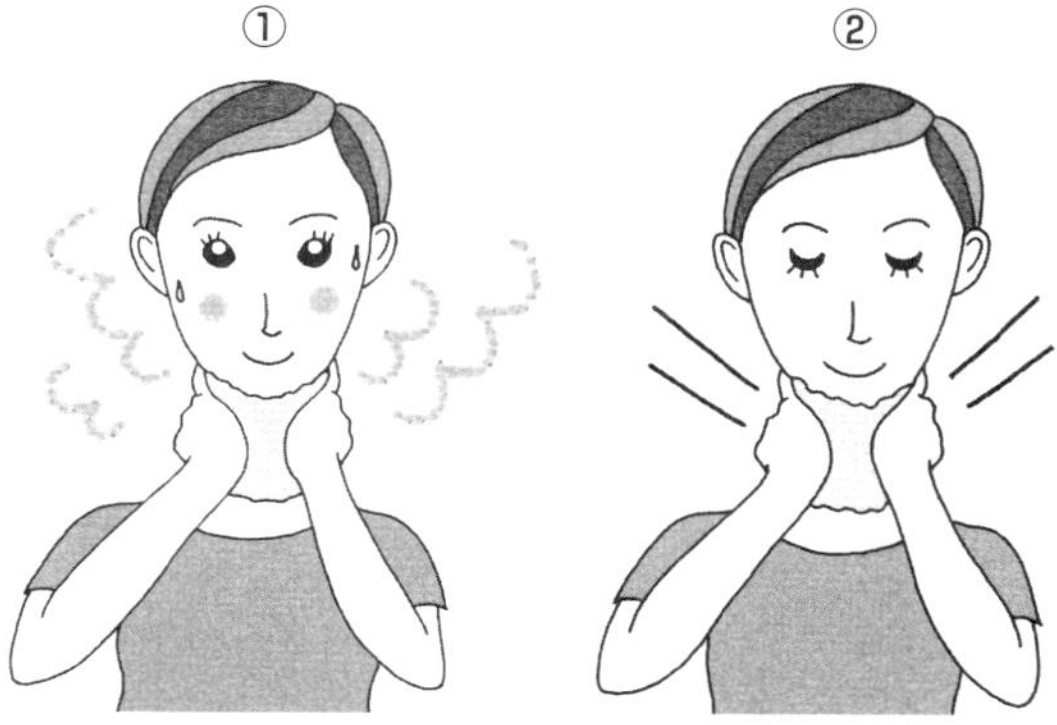

手肌のスペシャルケア

常に外気にさらされ、水仕事などで酷使されている手は、いくらキレイに見えてもケアをしないと、いつの間にか老化が進んでしまいます。水仕事のあとは、洗剤を落とすために石けんで手をよく洗って拭き、ハンドクリームをたっぷりつけてください。

手のひらが赤い人は、瘀血（20ページ～参照）が生じている証拠です。プチ断食を行なって、体の中からキレイにすると、手肌のケアがより効果的なものになります。

手がひどく荒れたときは、夜寝る前に、サラダオイルを使ったパックをするとキレイになります。手がつかる程度の量のサラダオイルを、ステンレスのボウルに入れて火にかけ、40度程度に温めます。その中に手を入れ、15分おきます。オイルをよく拭き取ってから、クリームを塗り、綿の手袋をして寝ます。サラダオイルの温度が上がりすぎないよう、十分に注意を！

キレイな手としなやかな指を作るために、週に1回は、手肌をやわらかくするナチュラルパックで、スペシャルケアを行なってください。

手肌のナチュラルパック

その①　片栗粉小さじ1に、水200㏄を加えて溶かす。
そこにお湯（体温より少し高め）750㏄を注ぎ、10～15分ほど手をつける。
そのあと、キレイに拭き取ってからハンドクリームなどをつける

その②　水1ℓに、天然塩100gを入れて溶かし、20分ほど手をつける。
そのあと、水でよく洗って拭いてからハンドクリームなどをつける

その③　マッシュポテトを作り、15分ほど手にのせてから洗い流す。
水気をよく拭き取ってから、ハンドクリームなどをつける

その④　ハーブティーをボウルなどに張り、15分ほど手をつける。
水気をよく拭き取ってから、ハンドクリームなどをつける

体験談④

老廃物を出して、重症のアトピーを克服！

H・Mさん（32歳女性・アルバイト）

小さいころからアトピーがひどくて、ステロイドホルモン剤はもちろん、漢方療法、水療法、温泉療法など、さまざまな療法を受けてきましたが、まったく効果なし。全身の皮膚に発疹があり、かゆくてつい、かいてしまうために、顔から首、胸にかけて引っかき傷だらけ。黄色い膿《うみ》まで出て、鏡を見るのが本当につらくてたまりませんでした。

石原先生の診断を受けたところ、「アトピーの原因は、体温低下と水分の摂りすぎ。食べすぎも問題で、体の中の老廃物を出し切れない状態ですね」といわれ、「小食にして、体を温めるために適度な運動をしなさい」とアドバイスされました。さっそく翌日から、朝はニンジン2本とリンゴ１個で作る生ジュースを2杯半、昼はソバ、夕食は玄米中心の和食に切り替えました。同時に、毎日１万歩、歩くようにしました。

最初の１カ月は、悪臭のする黄色い膿のようなものが全身から出て、かえって悪化しているようでつらかったのですが、先生にいわれた、「体の中の毒素は、出し切らないとダメ。薬で抑えても根本からよくはならない」という言葉を信じて、がんばりました。すると3カ月目ごろから、肌が乾燥してきて膿も出なくなり、ステロイドの後遺症である黒ずみもなくなってきました。

その後、さらなる症状の改善のために、ショウガ紅茶を朝昼晩１杯ずつ飲み、半身浴や薬湯を取り入れたところ、今ではアトピーだったといわなければ分からないほどに肌は回復。本当に感謝しています。

第5章

簡単アンチエイジング・食事編

体を温める「陽性食品」

現代栄養学では、食べ物を燃焼させて、そのとき上昇する水温によって「カロリー」を決めるため、ある食べ物を摂《と》ると体が温まるとか、反対に体が冷えるという考え方は、いっさいありません。

これに対し漢方医学では、暑がりの人を陽性体質、寒がり（冷え性）の人を陰性体質、体を温める食べ物を陽性食品、体を冷やす食べ物を陰性食品、温めも冷やしもしない食べ物を間性食品として厳格に区別し、病気治療や健康増進の基本的理念にしています。

つまり寒がり（冷え性）の人は陽性食品を、暑がりの人は陰性食品をしっかり食べれば、体が間性体質になり、健康になると考えるのです。

陽性食品にも陰性食品にも属さない間性食品とは、玄米、玄麦、イモ、豆など、人類が主食にしてきた食べ物で、どちらの体質の人が摂っても健康にいいと考えます。

現代人、特に若い女性の「冷え」や体温低下は、運動不足や筋肉労働の不足もさるこ

陽性食品（体を温める）

赤、黒、黄色の物が多く、全体に堅い

根菜類 ●ゴボウ、ニンジン、レンコン、ネギ、タマネギ、山イモ

動物性食品 ●赤身の肉、卵、チーズ、魚介類

色の濃い食品 ●ソバ、黒砂糖、和菓子、紅茶

塩辛い食品 ●みそ、醤油《しょうゆ》、メンタイコ、チリメンジャコ、佃煮、漬物

水分の少ないアルコール ●赤ワイン、日本酒、ブランデー、紹興酒

間性食品（温めも冷やしもしない）

黄〜薄茶色の物が多い

●玄米、玄麦、トウモロコシ、イモ類、アワ、キビ

●北方産のフルーツ（リンゴ、サクランボ、ブドウ、プルーンなど）

陰性食品（体を冷やす）

青、白、緑の物が多い

水　分 ●酢、牛乳、ビール、ウイスキー、コーラ、ジュース

南方産 ●バナナ、パイナップル、ミカン、レモン、メロン、スイカ、トマト、キュウリ、カレー、コーヒー、緑茶

白っぽい ●白砂糖、化学（調味料、薬品）、洋菓子

脂っこい ●牛乳、バター、マヨネーズ、クリーム

やわらかい ●パン、葉野菜、うどん

となから、陰性食品の摂りすぎも大きな原因です。つまり、体を温める陽性食品を摂るように心がけることで、冷えが解消され、キレイになれるのです。

「陽性食品」で、体が引き締まる！

現代日本人のほとんどは、陰性体質です。女性の場合はほとんど100％が、陰性体質と考えていいでしょう。特に冷え性で血行が悪く、むくみや肥満、下半身デブに悩んでいる方は、体を温める陽性食品をしっかり摂るべきなのです。

ちなみに、陰性食品をしっかり摂るべきなのは、「ずんぐりむっくりで赤ら顔の、高血圧のおじさん」に代表される、陽性体質の人だけです。

私のクリニックに太った女性が、「やせる漢方薬はありませんか？」と訪れることがよくあります。太った女性は例外なく、黒っぽい洋服を着ています。「黒」が体を引き締めて見せるということを、本能的に分かっているからです。

そうした方に、「あなたはケーキやパン、グレープフルーツが大好きでしょう？　お

相似の理論

茶や水分もよく摂られるでしょうね」と唐突に申し上げると、「エーッ、どうして分かるんですか?」とびっくりされます。これは、漢方の「相似《そうじ》の理論」からすぐ分かることなのです。相似の理論とは、簡単にいうと、「外見が似ているものは、性質も似ている」ということです。

「パンやケーキなど、フワーッとした物を食べると、フワーッとした体になる」「フルーツや清涼飲料水など、水分の多い物ばかり食べると、水ぶくれになる」「白米や白砂糖など、白っぽい物ばかり食べると、体が白くふくれる」……つまり人間の体は、食べた物と同じ形(相似)になるわけです(前ページのイラスト参照)。

私はいつも、太った女性に対しては、「黒い洋服を着ると、体が引き締まって見えると分かっているなら、どうして黒い食品(陽性食品)を、しっかり食べようとしないのですか? 色が濃くて引き締まった陽性食品を食べて、陰性食品を控えれば、必ずやせられますよ」と、アドバイスすることにしています。

太った女性に限らず、どちらかというとやせ型の女性であっても、たるみのない引き締まった体は、若さと美しさをアピールするうえで重要です。断食を行なう際に、また普段の食事にも、ぜひ陽性食品を取り入れてほしいと思います。

「歯の形に合った食品」で健康に!

現代栄養学は、分析学に走りすぎる傾向があり、「人体を構成する60兆個の細胞はタンパク質でできているので、タンパク質をしっかり摂るべし」などという〝機械論〟を主張します。

しかし、体重6トンの象も、あれだけ速く走る馬も、牛乳や牛肉を提供してくれる牛も、草しか食べません。平べったい草食用の歯しか、持ち合わせていないからです。逆に、ライオンやチーター、虎に、「血液をアルカリ性にするために」といって、草や野菜を食べさせようとしても、絶対口にしません。とがった肉食用の歯しか、持ち合わせていないからです。

つまり、「動物の食事の内容は、歯の形で決められている」といっていいのです。

さて、我々人間の歯は、全部で32本。そのうち20本(20/32=62・5%)が、穀物を食べるための臼歯《きゅうし》、8本(8/32=25%)が、果物や野菜を食べるための門歯《もんし》、残りのたった4本（4／32＝12・5％）が、肉や魚など動物性の食品を食べるための犬歯《けんし》です。臼歯と門歯を合わせると実に、「食事全体の90％近くは、植物性の食品を食べるべき」という歯を持っているわけです。

歯の形に合った食品を摂ることこそ、私たちのDNAに組み込まれた健康を保つために、必要といっていいでしょう。

欧米式の食生活が、美貌を損なう!?

300万年前に、アフリカ大陸東部で発生した人類の一部が、ヨーロッパとアジアの境にあるウラル地方（ロシア・ウラル山脈一帯）を経由して、東に行ったのがアジア人で、北上したのがヨーロッパ人といわれています。

太陽の光と水（雨）に恵まれ、土地も肥沃《ひよく》だったアジアでは、農耕を基盤とした生活が可能でした。一方、寒くて土地がやせていたヨーロッパでは、狩猟や牧畜で生計を立てざるを得ませんでした。

人間の歯の形に合わない「肉食」しか選べなかった、ヨーロッパ人の食事を基準にして作られたのが、現代栄養学です。

肉、卵、牛乳、バター、マヨネーズなど、高栄養といわれている欧米式の食生活が普及した昭和35年（1960年）以降の日本に、ガン、心筋梗塞《しんきんこうそく》、脳梗塞《のうこうそく》、痛風《つうふう》や糖尿病などの生活習慣病が蔓延《まんえん》し、肥満が増えたのは事実です。

人間らしい食事からかけ離れた欧米食こそが血液を汚し、病気と肥満を増やし、日本人女性が誇ってきた「みどりの黒髪と美肌」を損なう原因となったと、考えていいでしょう。

イシハラ式プチ断食でも、補食として和食をおすすめしています。日本人本来の美貌《びぼう》を取り戻すためには、ご飯、みそ汁、納豆、豆腐、魚介類などによる、日本の伝統的な和食を食べるのが一番なのです。

「腹八分目」が一番の健康食

いかに「健康にいい」といわれている食べ物でも、食べすぎると消化・吸収が間に合わず、腸の中にカスや老廃物が残り、それが血液を汚して病気や肌を荒らす原因となります。

逆に、たとえ人間の歯の形に合っていない動物性食品でも、一度にたくさん食べなければ、ちゃんと消化・吸収され、血液を汚すことはありません。

では、小食でも満足するためには、どうしたらいいでしょうか？　腹八分目で満腹感を得るための一番の方法は、よく嚙《か》むことです。

私たちが、食べて満腹になったと感じるのは、決して胃がいっぱいになったからではありません。脳の視床下部にある満腹中枢に信号が送られると、満腹だと感じるのです。

早食いがなぜダメかといえば、急いで食べると、満腹中枢に信号が送られたときにはすでに、たくさん食べてしまっているからです。よく嚙んでゆっくり食べれば、食べすぎることはありません。

よく噛んだだけで50キロ減！

よく噛むことは、病気の予防にもなります。

かつてアメリカに、フレッチャーという実業家がいました。30を超える会社の社長や重役として、巨万の富を成した人ですが、40歳をすぎたころから１００キロを超える肥満体になり、胃腸が悪くなって、筋肉や関節が痛み、不眠症や神経衰弱にまで陥ってしまいました。金にあかしてアメリカはおろか、ヨーロッパ中の名医という名医にかかったのですが、まったくよくなりません。

自暴自棄になっているところに、知人から「よく噛めば、病気が治る」といわれ、だまされたつもりで、試しにひとくち60回噛むようにしたところ、食事の量がどんどん減っていき、１日に1食で十分、間に合うようになりました。

ついに体重が56キロまで減ったときに、すべての病気が治り、記憶力とヤル気が復活し、またバリバリ仕事ができるようになったそうです。そうすると1日1食では足りなくなり、1日2食にしたところ、体重が75キロに戻り、さらに気力、体力が充実してきました。

いつの間にか肉や脂っこい物が嫌いになり、食事は黒パンと野菜と果物が中心に。それで以前よりずっと元気になり、青年のような若さを取り戻し、仕事にも完全復帰したのだそうです。

この話には、後日談があります。医者が集まる学会でフレッチャーが、「私の病気を治す医者は、アメリカにもヨーロッパにもいなかった。医学が進歩したというのに、どんな薬を飲んでもよくならなかった。しかし、よく噛むようにしたところ自然と菜食になり、小食ですむようになって体重が減り、活力と若さが戻ってきた……」と報告したところ、エール大学の生理学のチッテンデン教授が感激して立ち上がり、握手を求めてきたというのです。

医者が束《たば》になっても治すことができなかった彼の病気を治したことからも、よく噛んで小食にすることが、ダイエットや健康にとても効果的であることを、証明していると思います。

「小食」が寿命を延ばす

いろいろな動物実験でも、「小食」こそが、若さと健康を保つために不可欠だということが分かってきています。

１９３５年、アメリカの生物学者Ｋ・マッケイは、「Ａ群とＢ群にネズミを分け、Ａ群には普通食を、Ｂ群にはＡ群の60％の量の食事を与えたところ、Ｂ群のネズミは、Ａ群のネズミが死んでもなお長寿を保ち、出産するものもいた」ことを確かめ、「低栄養によって寿命を延ばし、免疫力もいつまでも旺盛《おうせい》に保たれる」と述べています。

今ではアメリカの有識者の間では、ＶＬＣ（very low calories）という食生活が流行しています。ＶＬＣすなわち、低カロリーで腹六〜七分目の、ごく軽い食生活をすると、

① 老化を遅らせ（長く若さを保ち）、寿命が延びる
② 肌と筋肉の若さを保つ
③ 頭脳明晰《めいせき》になり、いつまでもボケない

④血圧が下がり、心臓病にかかりにくくなる
⑤免疫力が上がり、風邪、肺炎、ガンなどになりにくい
といわれ、注目されているのです。アメリカ版・プチ断食といったところでしょうか。

「腸がキレイ」が美人の条件

「クレオパトラの鼻がもう少し低かったら、世界の歴史は変わっただろう」といわれる、エジプトの女王クレオパトラ。彼女の美貌の秘訣《ひけつ》として、「芳香性の植物を入れた風呂に入っていた」「魔法のハーブをいつも飲んでいた」「植物性オイル（オリーブオイルなど）の化粧品を愛用していた」など、さまざまな伝説が残っていますが、一番の美容法は、実は「センナを定期的に服用して、大腸の大掃除をしていた」ことだといわれています。

便秘になると、肌のくすみ、肌荒れ、湿疹《しっしん》や吹き出物など、美を追い求める女性にとって、決してうれしくない症状が表れることからも、この説にはうなずけるというもの

です。

ノーベル賞を受賞した、ロシアの医学者E・メチニコフ（1845～1912）は、「自家中毒こそが、老化の原因である」という説を唱えていますが、便秘はまさに自家中毒の典型なのです

便秘は、以下のような連鎖反応で老化につながります。

◎動物性タンパク質や精白食品の摂りすぎが、腸内の善玉菌（ビフィズス菌、乳酸菌など）を減らし、悪玉菌（ウェルシ菌、大腸菌など）を増加させて、便秘をひどくする

⇦

◎腸内にアンモニア、インドール、スカトール、フェノール、アミンなどの有毒ガスが多量に発生する

⇦

◎それらの有毒ガスが、血液中に吸収されて血液を汚し、私たちの体を構成する60兆個の細胞を傷つけ、老化やさまざまな病気の原因になる

つまり、若さと美しさを保つには、腸内の善玉菌を増やし悪玉菌を減らして、便秘をしないよう心がける必要があるのです。

善玉菌（ビフィズス菌、乳酸菌など）

・消化吸収を助け、便通をよくする
・ビタミンB_1・B_2・B_{12}、E、Kの合成
・有害菌の侵入阻止
・免疫力促進
・タンパク代謝の促進
・消化吸収の補助

悪玉菌（ウェルシ菌、大腸菌など）

・腸内を腐敗させ、便秘を促進する
・アンモニア、インドール系毒素の生成
・発ガン物質の生成
・大腸炎、大腸ガン、胆のう炎など、さまざまな病気の原因に

具体的に、便秘解消に役立つ生活のポイントを挙げてみましょう。

ポイント① 海藻、豆類、コンニャク、野菜など、食物繊維の多い食品を摂る

食物繊維には以下の効能があり、便秘解消には欠かせません。

①腸から血液への老廃物、有毒物、糖、コレステロール、脂肪など、余剰物の吸収を阻止して、血液の汚れを防ぎ、肥満や高脂血症を予防する

②腸内の発ガン物質、有毒物（残留農薬、食品添加物、薬品）、ダイオキシンを大便とともに排泄《はいせつ》する

③善玉菌のエサとなり、また棲《す》み家となることで善玉菌を増やし、腸内環境を整える

ポイント② ハチミツ、タマネギ、ゴボウなど、オリゴ糖を含む食品を摂る

オリゴ糖は、小腸では分解されません。そのため、オリゴ糖の形のまま大腸まで到達し、乳酸菌のエサになることで、乳酸菌を増やします。

ポイント③ ゆで小豆、黒ゴマ、アロエなど、腸を温める食品を摂る

一般的に、フルーツや生野菜は食物繊維を含むので、便秘に効くといわれています。しかし女性の便秘は、腸が冷えて十分に活動しないために起こることが多いので、フル

ーツや生野菜が効かないことも！　また、朝起き抜けに冷たい水や、牛乳を1杯飲んだほうがいいともいわれていますが、これも腸を冷やすので考えもの。

以下のような腸を温める食品を摂って、便通をよくするのが一番です。

①ゆで小豆（小豆50gと600ccの水を鍋に入れ、水が半量になりやわらかくなるまで30分煮つめたもの）をゆで汁ごと食べる。小豆は食物繊維を多く含み、腸を温め、便通をよくする

②ご飯に黒ゴマ塩（黒ゴマ8～9さじに対して、自然塩1～2さじを、フライパンで空炒《からい》りしたもの）を、たっぷりかけて食べる

③アロエの葉5～6枚を水洗いし、トゲを包丁で取って薄切りにしたものを、コップ1～2杯の水を入れた鍋で、水が半量になるまで煎《せん》じる。この煎じ汁を大さじ1杯ずつ、1日2～3回飲む（ハチミツを入れても可。ハチミツにも、腸を活発にして便秘を解消する作用がある）

ポイント④　ウォーキング、スポーツ、腹筋運動を積極的に行なう

運動をして体を動かすと、血行がよくなると同時に、すべての臓器の働きもよくなり

ます。もちろん、腸も例外ではありません。運動不足は、便秘の大敵なのです。

美肌と若返りに、この食品が効く！

老化を防ぎ、若々しい肌を作るためには、血液の循環をよくするのが一番です。人体を構成する約60兆個の細胞の1つひとつに、十分な栄養と酸素を送るためには、血液の流れがよくなければいけません。

また、生きていくうえでどうしても出てしまう老廃物を、腎臓や肺など臓器できちんと排泄することも大切です。

活性酸素を作らない生活を心がけ、たとえ活性酸素が体内に発生しても、それを取り除く抗酸化物質を摂ることです。さらに、皮膚の細胞を健康に保つために必須《ひっす》のビタミンAやC、E、コラーゲンを摂らなければ、肌の美しさは保てません。

こうした観点から、美肌と若返りに有効な食品を次に紹介しますので、毎日の食生活に取り入れてみてください。

野菜

●セロリ

ビタミンA、B_1、B_2、Cなどのビタミン類、赤血球の材料となる鉄やマグネシウムなどのミネラルが豊富。さらに、血行をよくして血液をサラサラにする、ピラジンを含んでいます。

●ニンジン

皮膚細胞の健康を保ち、イキイキとした肌を作るβ《ベータ》カロチンを、たっぷりと含んでいます。ビタミンB群、Eの含有量も多いので、細胞の若さを保ちます。また、鉄も多く、血色のいい肌を作るのに役立ちます。ヨーロッパで、「ニンジンは人を愛嬌《あいきょう》よくさせる」といわれるのは、ニンジンが心身の健康を増進するからでしょう。

●ホウレンソウ

鉄、マンガン、葉酸など血液を作るときに必要なミネラル、ビタミンのほかに、皮膚の健康に役立つβカロテン（ビタミンA）やビタミンC、老化予防のビタミンEなどを含む、超優良健康食品。また、脳下垂体ホルモンの分泌を正常化して、体内のホルモンバランスを整え、老化を防ぎます。

●サツマイモ

食物繊維のセルロースを多く含み、アマイドという物質が、腸内のビフィズス菌や乳酸菌の繁殖を促進します。輪切りにしたときに出てくる白いネバネバした物質＝ヤラピンが便通をよくするので、整腸作用に優れ、老化も防止。調理で加熱しても失われにくいビタミンCを多く含むことも、美肌作りに役立ちます。

海藻

ビタミンA、B群（B_1・B_2・B_6）、C、Eなどに加え、鉄、マンガン、マグネシウムなど、造血に必要なミネラルもたくさん含まれるので、肌の血色がよくなります。新陳代謝を高め、肥満を防止する甲状腺ホルモンを作るヨードも、豊富に含みます。甲状腺ホルモンは、肌や髪のツヤを保つ働きもあります。

また、食物繊維が豊富で、腸の汚れを取るうえに、ＥＰＡ（不飽和脂肪酸）やフコイダンが血液サラサラ効果を発揮し、美肌と若返りに役立ちます。

キノコ

カサが多く、満腹感が得られるのに低カロリーなので、ダイエットにぴったり。全重量の約40％が食物繊維だけに、便秘を防ぎ整腸作用に優れています。お通じがよくなると、腸内にだぶついているコレステロール、脂肪、糖分、老廃物が排泄され、血液がキレイになって血行がよくなり、美肌と老化防止に役立ちます。

フルーツ

●アボカド

血液中のコレステロールを低下させ、肌にうるおいをもたらす不飽和脂肪酸のリノール酸やリノレン酸を多く含んでいます。ビタミンB群、C、A、E、スクワレンなど、美肌はもちろん髪のツヤをよくしてくれる成分もたっぷり。食物繊維も豊富なので、整腸作用や血液サラサラ効果もあります。

●イチゴ

ビタミンCや鉄をもっとも多く含むフルーツの1つ。ビタミンCは、皮膚に張りをもたせるために必須のコラーゲン生成に欠かせないもの。また、鉄は貧血を改善するので、顔の血色がよくなります。食物繊維であるペクチンを多く含み、整腸作用や血液をキレイにする作用もあります。

●キウイ

キウイ1個（約140g）中に、ビタミンCを114mgも含んでいます。つまり、1個食べるだけで、1日に必要なビタミンCは摂れてしまうわけです。

また、皮膚の弾力性を保つコラーゲンの生成を助け、メラニン色素の生成を抑え、シミやソバカスを薄くしてくれます。

イチゴと同じく、食物繊維であるペクチンを多く含むため、整腸作用や血液をキレイにする作用もあります。

●レモン

抗酸化物質であるビタミンCとヘスペリジン（フラボノイドの一種）が含まれているので、活性酸素を除去し、紫外線や血液中の有害物質で肌が傷むのを防いでくれます。レモン1個を薄く輪切りにして、湯船に入れて入浴するのもいいでしょう。

茶

緑茶のカテキンや、紅茶のテアフラビンやテアルビジン（カテキンが組み合わさってできる赤色の色素）は、抗酸化作用が強いのが特徴。シミやソバカスの原因となる紫外線や、血液中の老化物質＝リポフスチンなどから、皮膚や内臓の細胞を守ります。

またカテキンは、血液中のコレステロールや中性脂肪を低下させるので、肥満防止効果もあります。

豆・穀物

●大豆

日本人女性の肌が欧米人女性に比べて美しいのは、みそや醤油《しょうゆ》、納豆、豆腐などの大豆製品を、昔からたくさん摂っていたからだという学者もいます。「畑の肉」といわれる大豆には、良質なタンパク質だけでなく、ビタミンB_1、B_2、E、Kなどのビタミン類、老化防止に役立つレシチン、コレステロール低下に役立つサポニン、リノール酸、リノレン酸などの不飽和脂肪酸が含まれています。

また、大豆に含まれるイソフラボン（ポリフェノールの一種）は、女性ホルモンによく似た作用を体内で発揮し、乳ガン、子宮ガン、骨粗しょう症の予防に有効であるうえ、肌の保湿作用があることが分かっています。

納豆は、腸内の善玉菌を育てて整腸作用を発揮するだけでなく、含有成分のナットウキナーゼやピラジンが血液をサラサラにし、若さと美肌を保つ効果があります。

●ゴマ

リノール酸やオレイン酸などの不飽和脂肪酸が、血中のコレステロールを低下させて、血液をサラサラに。さらに、老化防止や若返り効果のあるビタミンE、強壮作用や美肌効果のある亜鉛をたっぷり含みます。

含有成分のセサミン（ゴマリグナン）には、強力な抗酸化作用があり、紫外線や有害物質がシミやソバカスを作るのを防いでくれます。

美肌と豊かな黒髪のために、黒ゴマ8対粗塩2をフライパンで炒り、すりつぶして作る黒ゴマ塩を、ご飯に振りかけて食べるといいでしょう。

●ハトムギ

内分泌臓器の働きを活発にして、ホルモンの分泌、とりわけ卵巣ホルモンの分泌と働きを促し、新陳代謝をよくして美肌作りに役立ちます。

ハトムギのみから作られている漢方の薏苡仁《よくいにん》は、イボ取りと美肌作りに抜群の効果を発揮します。ハトムギ茶にも、同様の効果があるといわれています。

植物油

ゴマ油、サンフラワー油、オリーブ油、コーン油などの植物油はリノール酸、リノレン酸などの不飽和脂肪酸を多く含み、血中コレステロールを低下させて、血液の循環をよくします。

ビタミンEが豊富に含まれているのも、大きなポイントです。ビタミンEは、普通は50回の分裂が限度とされる人間の細胞の分裂回数を増やし、結果として老化を防ぐからです。また抗酸化作用により、肌や髪の若々しさを保つ作用があります。

動物性食品

●卵

皮膚や内臓など、すべての細胞を構成するのに一番大切な栄養素がタンパク質ですが、卵白はタンパク価が１００と、もっとも良質なタンパク質の１つです。

卵黄の中に含まれるリン脂質は、脳細胞や神経細胞の構成成分で、知能や記憶力の向上に役立つほか、老化の防止に不可欠な物質です。

リン脂質の1つであるレシチンは、血液中のコレステロールを下げて、血液をサラサラにする効果があります。ビタミンAや亜鉛など、皮膚の健康を保つ微量栄養素もたっぷり含まれています。

●カキ(牡蠣《かき》)

ビタミンB群や鉄、銅、マンガン、ヨード、カルシウム、亜鉛などのミネラルが豊富に含まれているので、赤血球の生成を促し、血色をよくします。平安時代の医師・丹波《たんばの》康頼《やすより》が著した『医心方』にも、「体を強くし、肌を美しくし、寿命を延ばす」と記されています。

●ウナギ

皮膚や粘膜の健常性を保つのに必要なビタミンAやレチノールを存分に含み、若返り効果のあるビタミンE、美肌作りに必要なコラーゲン、血液の流れをよくして老化を防ぐEPA(不飽和脂肪酸)が豊富に含まれています。

●カレイ、ヒラメ

高タンパク・低カロリーで、ダイエット食にぴったりです。背ビレの下や尻ビレのつけ根の「縁側」と呼ばれる部分には、美肌効果のあるコラーゲンがたくさん含まれています。

●サバ

血液の流れをよくするＥＰＡ（不飽和脂肪酸）、美肌効果のあるビタミンB_2、造血に必要な鉄がたっぷり含まれています。

漢方薬で、もっとキレイな肌と体

美肌効果のある漢方薬の代表は、当帰芍薬散《とうきしゃくやくさん》、四物湯《しもつとう》、桂枝茯苓丸《けいしぶくりょうがん》、桃核承気湯《とうかくじょうきとう》などです。いずれも、「駆瘀血剤《くおけつざい》」といわれるもので、血行をよくして瘀血を改善し、肌をキレイにします。肩こり、頭痛、めまい、耳鳴り、生理痛、生理不順、冷え、のぼせなど、女性特有の症状にも効果的です。体力がない人には当帰芍薬散か、四物湯（乾燥肌で顔色が悪い人向き）を、普通の体力の人には桂枝茯苓丸を、体力が十分にある人には桃核承気湯をおすすめします。

【当帰芍薬散】

血行をよくする駆瘀血作用のある「当帰」「川芎《せんきゅう》」と、体内の余分な水分を排泄する「白朮《びゃくじゅつ》」「茯苓《ぶくりょう》」「芍薬」「沢瀉《たくしゃ》」が入っている薬です。むくみ、シミ、皮膚病、足腰の冷え、肩こり、頭痛、腰痛、めまい、生理不順、生理痛、習慣性流産、不妊症などに効果的です。

あまり体力がなく、色白でぽっちゃり型、冷え性で貧血の傾向がある人におすすめします。

・当帰……トウキ（セリ科の植物）の根
・川芎……センキュウ（セリ科の植物）の根
・芍薬……シャクヤク（ボタン科の植物）の根
・茯苓……マツホド（サルノコシカケ科）の菌核
・白朮……オケラ（キク科）の根茎
・沢瀉……サジオモダカ（オモダカ科）の塊茎

【四物湯】

血行をよくする駆瘀血作用のある「当帰」「川芎」「地黄《じおう》」と、体内の余分な水分を排泄する「芍薬」が入っている薬です。シミ、ソバカス、しもやけ、冷え性、生理不順、生理痛、皮膚病、不正出血、帯下《おりもの》などに効果的です。

あまり体力がなく、乾燥肌で、顔色が悪く色ツヤがない人におすすめします。

・地黄……………アカヤジオウの根

【桂枝茯苓丸】

血行をよくする駆瘀血作用のある「牡丹皮《ぼたんぴ》」「桃仁《とうにん》」と、体内の余分な水分を排泄する「茯苓」「芍薬」、気の巡りをよくする「桂皮《けいひ》」が入っている薬です。しもやけ、シミ、アザ（打ち身）、吹き出物、生理不順、生理痛、不正出血、子宮内膜炎、不妊症、無月経、痔《じ》などに効果的です。

普通の体力の人で、肩こり、頭痛、めまい、冷え、のぼせなどの症状を訴える人の美容剤としても用いられます。

・桂皮……………クスノキ科の植物の樹皮

【桃核承気湯】

気の巡りをよくする「桂皮」、血行をよくする駆瘀血作用と緩下作用のある「大黄《だいおう》」「芒硝《ほうしょう》」「桃仁」、解毒と緩和作用のある「甘草《かんぞう》」が入っている薬です。あざ、吹き出物、のぼせ、肩こり、頭痛、腰痛、生理不順、生理痛、無月経、子宮内膜炎などに効果的です。

体力があり、便秘気味で、のぼせて暑がりなのに手足が冷えるような人におすすめします。

・大黄……………タデ科植物の根茎
・芒硝……………天然の含水硫酸ナトリウム
・桃仁……………モモの種子
・甘草……………マメ科の植物の根

第6章

簡単アンチエイジング・入浴編

体を温めたいなら、お風呂が一番！

第1章でお話ししたように、体の不調や老化はほとんどすべて「冷え」からきているので、「体を温めれば、若さとキレイを取り戻せる」ということになります。

普段の生活の中で、一番簡単に体を温められる方法といえば、やっぱり入浴。私の主宰する断食施設でも、温泉浴を取り入れています。断食の美容効果を格段にアップさせるのが、入浴なのです。

特に忙しいときや夏場はシャワーだけですませてしまいがちですが、ちゃんと湯船に浸《つ》からなければ、下半身は温まらず、冷えは解消されません。1日に1回は湯船に浸かって、体を芯《しん》から温めることは、「キレイの基本」です。もちろん、ダイエット効果もバッチリです。

ただし、入浴するとグッタリ疲れるくらい体力が低下している人や、風邪気味など病気の人には、逆効果になるので要注意。入浴の効果はすべて、「気分がいい」と感じられるときに得られるものなのです。

ではここで、入浴の効果を7つ紹介しましょう。

①「温熱」が血行をよくする

お風呂の温かい湯に皮膚が触れることで、血管が拡張し、全身の血行がよくなります。すると酸素や栄養素が、血液によって内臓や筋肉に多く運ばれ、腎臓や肺からの老廃物の排泄《はいせつ》作用も促されます。排泄作用が促されれば血液がキレイになって、疲れが取れるだけでなく、美肌作りや老化防止につながるのです。

それでは何度ぐらいの湯に浸かるのが、もっとも効果的なのでしょうか？　人間はだいたい、38～41度の風呂はぬるいと感じ、42度以上にな

●熱い湯とぬるい湯の比較一覧

	熱い湯（42度以上）	ぬるい湯（38～41度）
自律神経	交感神経が働く	副交感神経が働く
心拍（脈拍）	活発になる	ゆるやかになる
血圧	急に上昇する	変わらないか、ゆっくりと低下
胃腸の働き	低下する（胃液の分泌が低下）	活発になる（胃液の分泌が促進）
気持ち	緊張する	ゆったりする
入浴時間	10分以内で	20～30分のんびりと
適応症	胃潰瘍、胃酸過多 寝起きの悪い人の朝風呂 食欲を抑制したい人	高血圧、バセドー病、 不眠症、ストレスの多い人

ると熱いと感じるものです。熱い湯とぬるい湯、どちらがいいかは、自分の体調やそのときの状態によって違います。前ページの表の、熱い湯とぬるい湯の比較一覧を参考にして、使い分けてください。

一般的に熱い湯は、活動の神経といわれる交感神経を刺激し、体を急激に活性化するので、何となく朝シャキッとしないという人におすすめです。また、胃液の分泌が低下するため、胃潰瘍《いかいよう》の人にも熱い湯がピッタリ。

ぬるい湯は、ストレスをコントロールする副交感神経の働きを高めるので、リラックス効果があります。夜ぐっすり眠れない人は、寝る前にぬるめの湯にゆったり浸かると、疲れが取れます。ただし朝、ぬるま湯にのんびり浸かると、かえって疲れが出て1日中だるいなんてことも！　朝は熱めの湯でシャキッとして、夜はぬるま湯にのんびり……というように、湯の温度を調節することが大切です。

②「水圧」が血行をよくする

日本式の肩まで浸かる入浴方法の場合、湯の水圧（これを静水圧といいます）は500キロにもなります。湯に浸かっている間は、胸囲が2～3センチ、腹囲が3～5センチ縮むというから驚きです。

この静水圧は、皮下の血管やリンパ管を圧迫して血行をよくし、排尿量が増えて「水毒」の状態を改善し、「むくみ」「水太り」「冷え」を解消してくれます。

③ 肌がしっとりキレイになる

入浴して体温が上昇してくると、皮脂が皮脂腺から毛穴を通って分泌されます。これが肌の表面の汚れやバイ菌を洗い流してくれると同時に、汗腺からの汗と混じって皮脂膜を作り、肌にうるおいを与えます。肌を清潔にするだけでなく、しっとりとした美肌を作ってくれるのです。

④「浮力」で体がラクに

プールに入ったときのことを思い浮かべてください。いつもは重たく感じる体が、軽く感じられるでしょう。同様にお風呂に浸かると、アルキメデスの原理により、体重は通常時の10分の1以下相当になります。

これにより、足腰の筋肉をはじめ、体の関節や筋肉が常日ごろの重圧から解放され、心身のストレスの解消になります。また、腰痛や膝《ひざ》の痛みなどがある人の動作がラクになります。温熱による血行促進とあいまって、痛みや麻痺《まひ》の治療にもつながってくるのです。

⑤ストレスが解消される

ぬるめの風呂に入ると、アセチルコリンというストレス解消ホルモンが、体細胞内でコリアセチルトランスフェラーゼによって合成されます。さらに、リラックスしたときに出るα《アルファ》波という脳波の影響で、心身ともにゆったりとしてきます。入浴は、毎日の生活で疲れた頭と心を癒《いや》してくれるのです。

⑥病気が予防・改善される

入浴の温熱効果やリラックス効果、血行促進効果によって、白血球（好中球《こうちゅうきゅう》、リンパ球、単球《たんきゅう》、好酸球《こうさんきゅう》、好塩基球《こうえんききゅう》など）の働きが高められます。その結果、免疫力が促進され、あらゆる病気の予防や改善に役立ちます。

⑦血液がサラサラになる

入浴の温熱効果によって、血栓《けっせん》（脳梗塞《のうこうそく》、心筋梗塞《しんきんこうそく》など）を溶かすために備わっているプラスミンという酵素が増え、線溶能（線維素を溶解する能力）が高まります。その結果、血液がサラサラになり、循環がよくなります。

つまり、お風呂も上手に入れば脳梗塞や心筋梗塞、女性に多い下肢の静脈瘤《じょうみゃくりゅう》に、かかりにくくなるのです。瘀血が解消されて、肌のくすみや、シミ、小ジワが少なくなるのはいうまでもありません。

おすすめ入浴法①

「半身浴」でたっぷり汗をかこう

「キレイになりたい」「若返りたい」という女性に、私が必ずおすすめしているのが「半身浴」です。湯船の中に小さいイスか洗面器を逆さまにして置き、そこに腰かけて、みぞおちより下の部分だけを湯に浸け、長めに入浴します。

肩まで浸かる全身浴に比べ、肺や心臓への負担が軽くなるので、呼吸器や心臓・循環器の疾患がある人でも安心です。

半身浴は下半身を集中的に温めるため、腎臓を含めた腰から下の血行をよくします。結果的に排尿を増し、水毒を取り除いて体全体を温めるのです。足腰の痛みや、下半身のむくみも解消されます。

30分以上の半身浴をすると、入浴中はもちろん、入浴後にも驚くほどの発汗があり、細胞と細胞の間の水が排泄されて水毒が改善されます。熱い湯に短時間浸かるのとは、全身の温まり方が違うのです。

冬場に半身浴を行なうときは、あらかじめお風呂場を温めて、軽く全身浴をしたあとに行なうか、乾いたバスタオルを肩にかけるといいでしょう。防水性のラジオや、濡《ぬ》れてもいい雑誌などを持って入れば、退屈せずに半身浴できます。

おすすめ入浴法②

「サウナ浴」は美と若さをもたらす

サウナで思う存分汗をかくと、心身ともにスカッとします。汗をかくだけで、あれだけの爽快感《そうかいかん》を味わえることからも、体内に水が溜《た》まった状態＝水毒が、いかに心身の不調をもたらすかが想像できるでしょう。

サウナ浴は、サウナの中の温度が90～110度と高温のため、温熱刺激による血管拡張によって、血液の循環がよくなります。その結果、内臓や筋肉への栄養補給がスムーズにいき、腎臓への血流もよくなって排尿が増し、老廃物が排泄されて血液がキレイになります。

また、汗腺や皮脂腺からの汗や皮脂の分泌が盛んになるため、皮膚が浄化され、美肌効果をもたらします。さらに、甲状腺の働きがよくなるため、体全体の新陳代謝が活発になります。サウナ浴はまさに、美と若さの源なのです。

冷えと水毒からくる筋肉痛や筋肉疲労、関節痛、自律神経失調症、アレルギー疾患、婦人病、胃腸病、水太り、初期の風邪などにも効果的です。冷えはガンの遠因にもなりますから、ときどきサウナに入るのは、ガンの予防にもなります。

ただし、サウナ浴をしている間は、酸素の消費量が増し、心拍量も50~100%ほど増加するため、心臓や循環器系に負担をかけます。高血圧や心臓病の人は、とりわけ注意が必要です。最初は短い時間から始めるほうがいいでしょう。

サウナ浴で体を温めたら、水風呂または冷水シャワーで体を冷やします。体が冷えたら、再びサウナへ……というように、サウナ浴と水風呂または冷水シャワーを交互に行なうと、体表の血管が拡張と収縮を繰り返して血液循環を助け、心臓の負担を軽くしてくれます。5~10分のサウナ浴と、30秒~1分の冷水浴を、2~4回繰り返すのが理想的。ただし、心臓や循環器系に持病がある人は、サウナ浴を2~3分、冷水浴は全身で浸からずに、ヘソより下に冷水をかける方法が、負担もかからず、おすすめです。

おすすめ入浴法③

「手浴・足浴」は全身に効く

【手浴】

42度くらいの湯を洗面器に張り、手首から先を10～15分浸けます。湯の中に自然塩をひとつかみか、1個分のすりおろしショウガを入れると、効果が倍増します。湯がぬるくなってきたら、熱い湯を足すといいでしょう。手を温めることで、肘《ひじ》と肩に滞った血や、気の流れがよくなり、肘の痛みと肩こりに効きます。

効果があるのは、湯に浸けた部分だけではありません。手浴の合間に冷たい水に手を1～2分入れるなどして、手浴の温冷浴を2～3回繰り返すと体全体が温まり、心身ともに気分がよくなってきます。

特に、冷えのために不眠症になっている人は、就寝前に手浴と、次に紹介する足浴を行なうと、ぐっすり眠れるでしょう。

【足浴】

手浴と同様に、42度くらいの湯を洗面器かバケツに張り、両足首より下を10〜15分浸けます。湯の中に自然塩をひとつかみか、1個分のすりおろしショウガを入れると、効果が倍増します。湯が冷めないように、ときどき熱い湯を足すといいでしょう。

足浴は、〝第2の心臓〟ともいわれる足の裏に温刺激を与え、下半身の血流をよくします。その結果、全身の血行がよくなって体がポカポカと温まり、発汗してきます。腰痛や膝の痛みに効くのはもちろん、腎臓のほうの血流がよくなって排尿量がグッと増え、全身のむくみや水太りも解消されます。

特に、立ち仕事などで足がパンパンにむくむという人はぜひ、毎晩の習慣にしてください。翌朝びっくりするほど、ラクになるはずです。

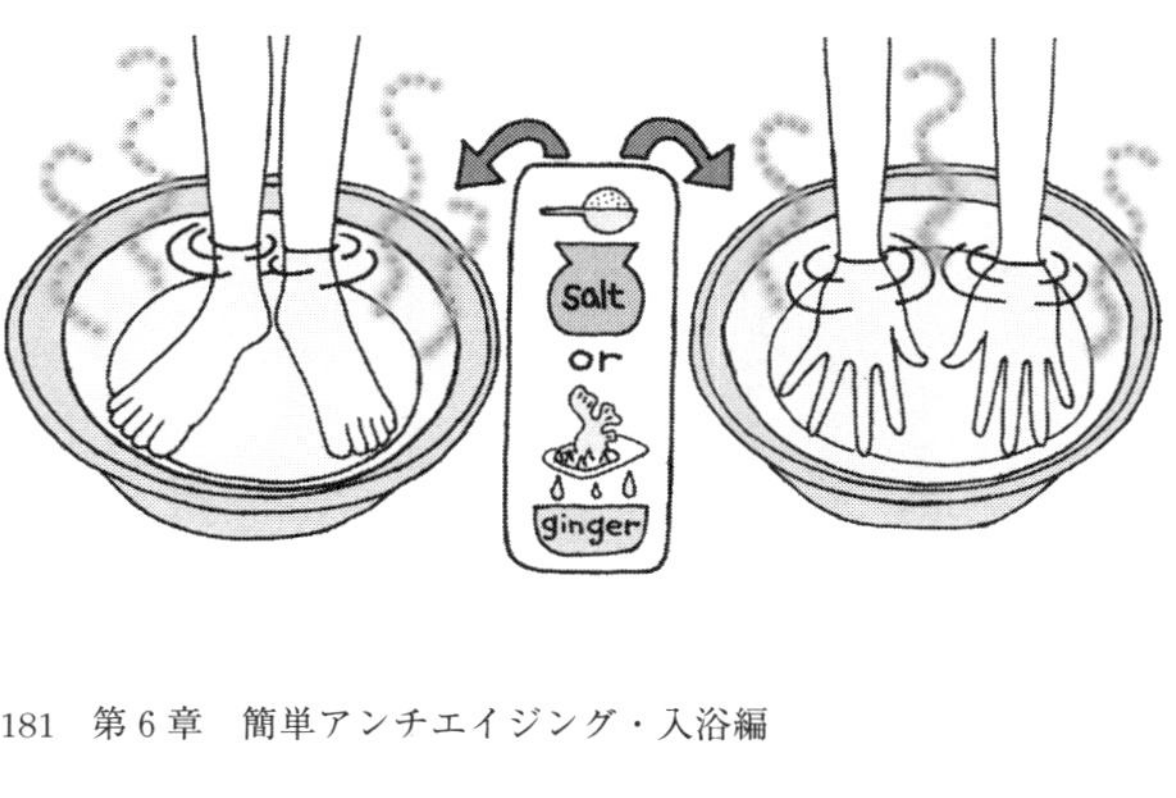

おすすめ入浴法④

「自家製の薬湯」で、もっとキレイに！

「薬湯」といっても、大げさに考えることはありません。「薬」という字は、「草かんむりに楽」と書きます。「何かの植物を湯に入れて、心身ともにラクになる入浴法」くらいに考えて、気軽に試しましょう。

植物由来のさまざまな入浴剤も市販されていますが、自家製の薬湯は100％天然なので安心です。

薬湯に浸かると、植物の血液ともいうべき「精油」の香りの成分が、鼻粘膜から血液に吸収されて脳に伝わり、神経をリラックスさせ、内分泌（ホルモン）系、免疫系を刺激して、心身の健康を増進させます。また、湯に溶け出した精油の成分やさまざまなビタミン、ミネラルが肌表面を薄くコーティングして、美肌を作ります。さらに、入浴後の保温効果もぐーんとアップ！

湯がぬるいと、植物の成分が十分に溶出しないので要注意。40度くらいの湯温で、10

〜15分入浴するのがもっともおすすめです。
以下、私がおすすめする自家製の薬湯の用法と効能を紹介します。

自然塩

用法……ひとつかみの粗塩を、湯船に入れる。入浴後はシャワーで洗い流す
効能……冷え性、水太り、風邪の予防

ショウガ

用法……ショウガ1個をすりおろして、直接または布袋などに包んで湯船に入れる
効能……冷え性、神経痛、腰痛、リウマチ、不眠症、風邪の予防

イチジク

用法……生または乾燥させた葉を、3〜5枚刻んで湯船に入れる
効能……神経痛、リウマチ、痔《じ》、便秘

桜

用法……生または乾燥させた葉を数枚、湯船に入れる
効能……湿疹《しっしん》、あせも

ショウブ

用法……ショウブを丸ごと（根、茎、葉のすべて）洗って、生のまま湯船に入れる
効能……食欲増進、疲労回復、冷え性、皮膚病

ダイコン

用法……天日で約1週間乾燥させた葉5〜6枚を煮出し、その汁を湯に加える
効能……冷え性、神経痛、婦人病（生理痛、帯下《おりもの》など）

バラ

用法……花を数個、湯船に入れる

効能……ストレス、二日酔い

ヨモギ

用法……生または乾燥させた葉を、数枚から10枚程度、湯船に入れる
効能……冷え性、痔、月経過多、子宮筋腫《きんしゅ》

ミカン

用法……3～4個分の果皮を天日干しし、乾燥したものを湯船に入れる
効能……冷え性、初期の風邪、咳《せき》、ストレス

モモ

用法……細かく刻んだ葉を、布袋などに包んで湯船に入れる
効能……湿疹、皮膚病、アトピー

ビワ

用法……生または乾燥させた葉を5〜6枚、湯船に入れる
効能……湿疹、かぶれ、あせも

レモン

用法……1個を輪切りにし、湯船に入れる
効能……美肌、ストレス、不眠症

第7章

簡単アンチエイジング・運動編

筋肉を鍛えると、キレイになれる

昔からよく、「人は血管とともに老《お》いる」といわれます。動脈硬化などが原因で血液の循環が悪くなると、体を構成する60兆個の細胞への栄養・酸素の供給がスムーズにいかなくなるからです。また、血液の循環が悪くなると、老廃物の排泄《はいせつ》が少なくなることから細胞が傷み、老化や病気の原因を作ります。

その血液循環をつかさどっているのは、心臓です。心臓は握りこぶし大の大きさしかないのに、全身に血液を送り出し、その血液を引き戻すという大仕事をしています。いわば心臓は、ポンプのようなものです。しかし、心臓の力だけで全身に血液を行き渡らせるのは、とても大変です。そこで筋肉と横隔膜《おうかくまく》（胸腔《きょうこう》と腹腔《ふくこう》の間にある、呼吸作用を助ける筋肉性の膜）が、心臓の働きを助けています。つまり、筋肉を鍛えると心臓の働きがスムーズになり、結果的に血液循環がよくなるのです。

ウォーキングなどで、特に下半身の筋肉を動かすと、筋肉が収縮したり弛緩《しかん》したりします。そのとき、筋肉内を走っている血管も収縮したり拡張したりします。その結果、血流がよくなるわけです。これは〝乳しぼり効果〟（＝milking action）といわれ、血液の流れをスムーズにするために不可欠なことです。

そもそも人間の体重の約半分は、筋肉の重さが占めています。しかも、体温の40％以上が筋肉から生まれることを考えると、キレイになるためには、筋肉を無視するわけにはいかないのです。

腹式呼吸で、血行促進&リラックス

自分が呼吸をしているときの状態を、思い浮かべてください。息を吸うと横隔膜が上にふくらみ、吐くと横隔膜が下にしぼむでしょう。この呼吸をすることによって上下に動く横隔膜が、腹腔内に納まっている胃腸、肝臓、膵臓《すいぞう》、脾臓《ひぞう》などの臓器や胸腔内の肺をマッサージして、血行をよくしてくれるのです。

特に腹式呼吸を行なうと、横隔膜が大きく上下して、内臓を刺激するのでおすすめです。お腹《なか》に空気を吸い込むつもりで、胸をふくらませながら息を吸い、次にそれを吐き出すつもりで、お腹をへこませながら息を吐きます。7秒で吐いて5秒で吸う、または10秒で吐いて7秒で吸う、というように、吸う時間よりも吐く時間を長くすることがポイントです。

腹式呼吸の効能は、血液の循環をよくするだけではありません。交感神経の緊張がほぐれ、副交感神経もよく働くので、リラックスできてストレス解消にもつながります。

筋肉の衰えが、たるみやシワの原因に!?

筋肉は、さまざまな老化や若返りの現象にも関係しています。

「老化は足腰からくる」といいますが、40歳を過ぎると、次第にお尻や太腿《ふともも》の筋肉が削《そ》げ落ち、下半身が貧弱になってきます。すると足腰や膝《ひざ》の痛み、むくみなどの症状が表れやすくなります。また、下半身の筋肉にプールされていた血液が上半身に移動していくため、のぼせや高血圧、ひどくなると脳卒中や心筋梗塞《しんきんこうそく》の一因にもなってくるのです。

下半身の衰えとともに、全身の筋肉の緊張もゆるんでくるため、お尻だけでなく顎《あご》、口、眉《まゆ》、乳房などが、たるんで下に垂れてきます。若いときと歳《とし》をとったときの写真を見比べてみると、誰でも眉頬《ほお》の筋肉、口元などが下がっていることに気づくでしょう。

たるみだけではありません。歳を重ねていくと、細胞内の水分がだんだん少なくなることもあって、筋肉が硬くなってきます。70歳と20歳の同じ体格の人に、顔を隠して同じ服装で歩いてもらうと、どちらが年配かはすぐに分かります。若い人の身のこなしは柔軟ですが、老いた人は硬くてぎこちないからです。若い人は、筋量が多いため産熱量も多く、体熱が高いので、身のこなしもやわらかくなります。一方、年老いた人は、筋量が少なく体熱も低いので、動作が硬くなるのです。

老いを感じるものの1つに、シワがあります。鼻の両端から唇の両端に下がっていくシワは、歳とともに深くなっていきます。映画などで、若い俳優さんが老け《ふ》役を演じるときは、このシワを濃く見せるメイクをします。このシワが深くなる原因も、顔面の筋肉の衰えと考えていいでしょう。

歳とともに前屈《かが》みの姿勢になってくるのも、背筋《はいきん》や臀筋《でんきん》など体の背面の筋肉が弱ってくるからです。

このように、若さを保つうえで、筋肉はとても重要な働きをしています。老化を防ぐためにも、普段から筋肉を鍛えておく必要があるわけです。運動不足のまま歳を重ねると、どんどんキレイから遠ざかると心得てください。

運動不足は、生活習慣で解消！

昭和35年（１９６０）以降、高度経済成長で日本が豊かになるとともに、私たちの運動量は年々、減少しています。それまですべて人力でやらなければならなかった掃除や洗濯を、電気掃除機や電気洗濯機に頼るようになり、エレベーターやエスカレーターの普及で、階段を上ることもめっきり少なくなりました。職場でも機械化が進み、肉体労働をする機会はどんどん減っています。日本人全員が、慢性的な運動不足といってもいいでしょう。

人間の体温のうち40％が、筋肉で産出されているのですから、運動不足は平均体温を低下させます。現代日本人の低体温化に、筋肉労働と運動の不足が影響していることは確かです。

日ごろからテニスや水泳、ハイキング、ゴルフなどのスポーツにいそしむことも大切ですが、それ以上に、自然と筋肉がつくような運動ができる生活習慣を身につけましょう。たとえば、以下のようなことから始めればいいのです。

① 家や庭の掃除、部屋の片づけを率先してやる

お風呂の掃除、部屋の模様替え、本棚の整理などを積極的にやりましょう。今までよりキレイになったり、使いやすくなったりするわけですから、体を動かしたあとの爽快感《そうかいかん》に加えて、満足感や新鮮な気分も味わえます。そのようなプラスの感情が、さらに血流をよくし、体温を高めるのです。

②エスカレーターやエレベーターを、なるべく避ける

たとえば目的地が5階だったときに、全部階段を上る必要はありません。最初は2階まででも、3階まででもいいのです。ちょっとずつ、運動量を増やしていきましょう。また、このときつま先だけで上ってみたり、太腿を意識的に高く上げるようにしたりすると、運動効果はよりアップします。

③バスや電車を、目的地の手前の駅で降りて歩く

水泳やテニスなど運動をしようと思っても、きっかけがないとなかなか始められるものではありません。そんな人は、なるべく歩く（ウォーキング）ようにすればいいのです。歩ける距離のところは、なるべく車や電車に乗らないようにして、ウォーキングの機会を増やしましょう。

ウォーキングは、人間の筋肉の70％以上を占める下半身を使って、いつでもどこでもできる運動です。しかも体調によって歩く

年　齢	分速（1分間に歩く距離）	1日の最低歩数
70歳代	60メートル	6000歩
60歳代	70メートル	7000歩
50歳代	75メートル	8000歩
40歳代	80メートル	9000歩
30歳代	85メートル	10000歩

速度も加減できるので、心臓など体に疾病《しっぺい》を抱えた人も、安心して行なえます。年齢に応じて、1日最低どれくらい歩けば健康にいいかを、右表に挙げましたので参考にしてください。

ウォーキングには、以下のような効果があるといわれています。

①肥満の予防と改善
②ストレスの解消
③肺の機能を強化し、風邪を予防
④体温を高めることで瘀血《おけつ》をなくして美肌を作り、婦人病を予防
⑤下肢や腰の筋肉を強くし、腰や膝の痛みを解消

歩く時間や場所がない人、または雨のために外を歩けなかった日などは、部屋の中で簡単にできるエクササイズがおすすめです。

次に紹介するのは、不足した運動量を補うだけでなく、体温を上昇させ血行を促進することで、若返り効果の期待できるエクササイズです。

らくちん若返りエクササイズ

【スクワット運動】

スクワット（squat）とは、「しゃがみ込む」という意味です。

①まず肩幅よりやや広く両下肢を開いて立ち、両手を組んで頭の後ろに回します。②背筋を伸ばして息を吸いながらしゃがみ込み、③吐きながら立ち上がります。

これを5～10回、ゆっくりと行ないます（これで1セット）。数秒～数十秒休んで、また同じ動作を繰り返し、全部で5セットぐらい行ないます。胸をなるべく前に押し出すようにし、お尻はなるべく後ろに突き出すようにするのがコツです。

だんだん筋力がついてきて物足りなくなってきたら、1セットの回数を10～20回に増やしたり、セット数を10セットに増やすなどして、負荷を上げていくといいでしょう。軽いダンベルを両腕に持って行なってても可です。

スクワット運動は、全筋肉の70%以上が存在する下肢と腰の筋力強化に、もってこい

スクワット運動

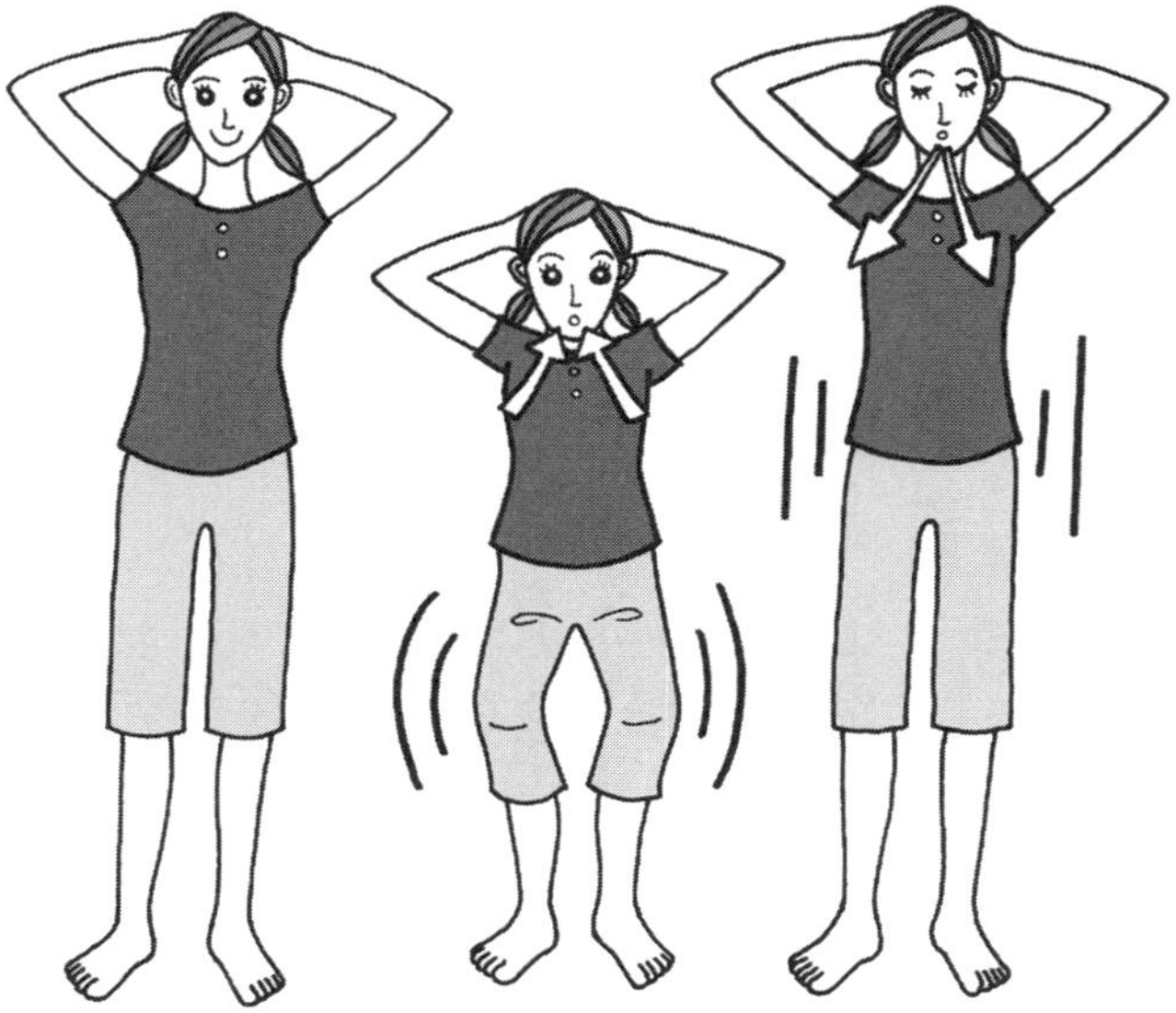

① ② ③

の運動です。同時に、〝第2の心臓〟といわれる足の裏の刺激にもなり、体温の上昇と血行が促進され、美容と健康におおいに役立ちます。

【カーフレイズ運動】

カーフレイズ（calf raise）というと何やら難しそうですが、①足を少し開いて直立し、②その場でかかとを上げたり下げたりするだけの運動です。

テレビを見ながらでも、電車やバスの待ち時間でも、簡単にできます。

1セットは5～10回。セット数は5～10セットから始めて、徐々に増やしていくといいでしょう。上げ下げのスピードは、最初はゆっくりで、自分のペースに合わせて徐々にスピードアップしてください。

カーフレイズ運動は、ふくらはぎ（＝カーフ）の筋肉を中心に、下肢全体の筋肉を鍛えます。スクワット運動と同様、体温を上昇させ、血行を促進します。

スクワット運動と交互に行なうと、より効果的です。

カーフレイズ運動

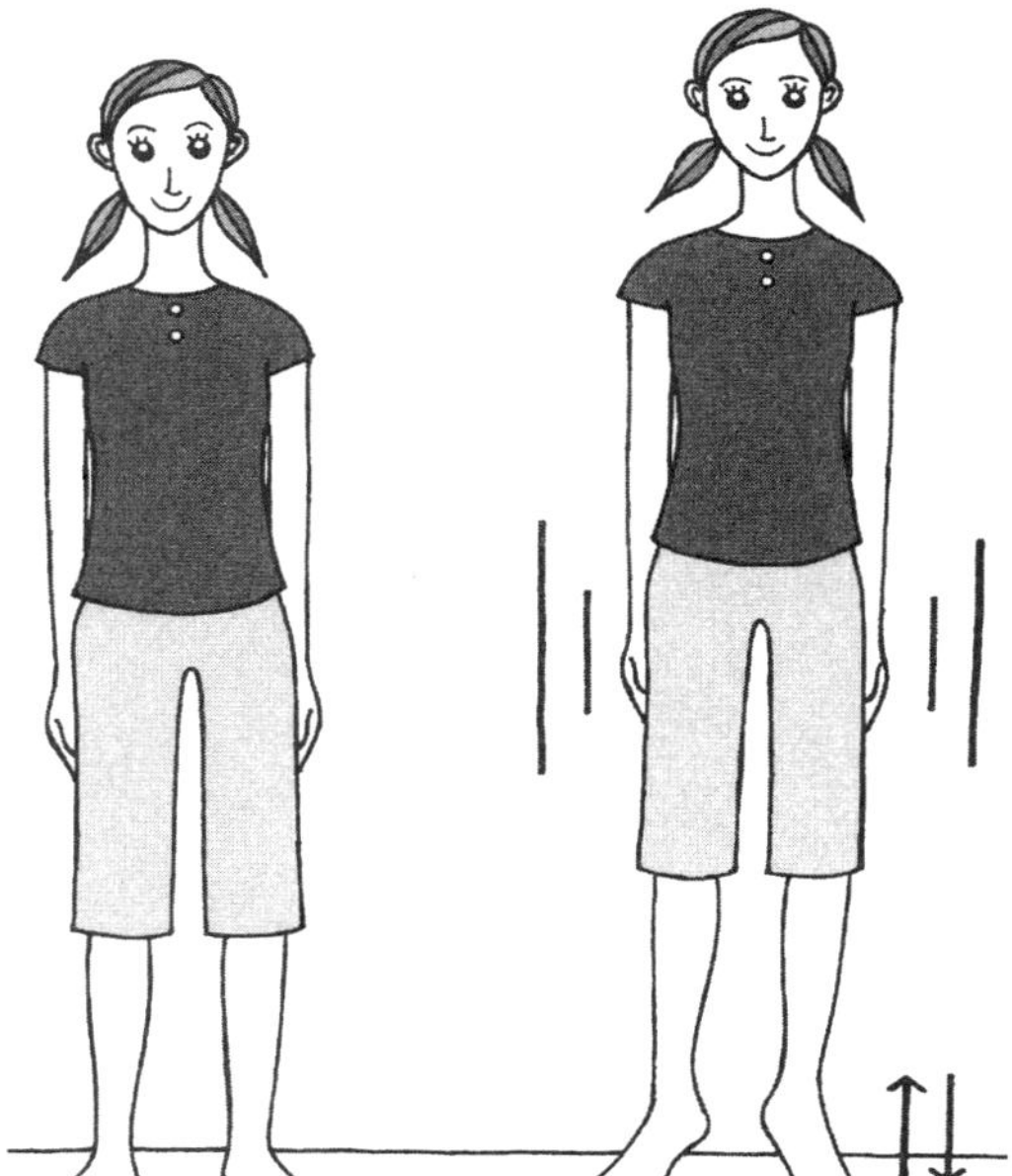

①　　　②

エピローグ

断食で、心の毒素もスッキリ！

断食をすると、ストレスを緩和するホルモンが脳の視床下部から分泌され、誰もが心穏やかになります。いつもイライラして怒りっぽく、家族などに当たり散らしていた人が、断食後は別人のように機嫌よくニコニコしだしたという例を、私はいくつも知っています。

断食は、体の冷えや水毒を解消する作用はもちろん素晴らしいのですが、それ以上に素晴らしいといってもいいのが、この精神安定作用だと私は思っています。

心が安定すると顔つきは穏やかになり、怒りジワや泣きジワもなくなっていきます。いつも怒っている人よりも、笑っている人のほうが外見的にも美しく見えるのは、いうまでもありません。

「最近すごくキレイになったわね。恋でもしているの？」というようないい方は、昔からあります。「うれしい！　楽しい！　幸せだ！」というプラスの感情は、体温を高め血行をよくして、甲状腺や副腎《ふくじん》、卵巣などの内分泌臓器の働きを促します。つまり、若返りホルモンの分泌が盛んになって、若々しく美しくなるのです。

実年齢よりずっと若く美しく見える女性は、常に前向きで明るく、好奇心旺盛《おうせい》で、何かにつけ感謝、感激、感動をする人です。そうした〝心の若さ〟は、精神年齢はもちろんのこと、外見の年齢や生理（肉体）年齢をも若くします。

いつまでも若く美しくあるためには、「自分はいつも若くて美しい」という、いわば自己暗示ともいえる思いが大切です。「人間は思った通りのもの（状態）になる」と主張する心理学者がいますが、たしかにそういう一面はあるでしょう。

「もう35歳だ」と思うより、「まだ35歳」と思うほうが、ずっと若くいられるのはいうまでもありません。反対に、「あなた最近、老《ふ》けたわね」などと同年代の友人にいわれて、「そんなことをいう友人も、近ごろずいぶん老けて見える。私のまわりの同じ年代の人も、歳《とし》とってきている。自分も歳とっても仕方ないか……」などと思い始めてしまうと、本当に老け込むものです。

ドイツの思想家リヒテンブルクは、「人間はだんだん歳をとっていくものだといつも考えていると、実際に迅速に老けていく」といっています。

また、老人学の権威のA・カムフォートは、「老化の75％までは、自己願望の表れである」と喝破しています。

96歳の女性のAさんは私の患者さんですが、毎日お昼の健康番組を見てノートにメモし、実行しているそうです。毎日のように外出して、旅行やショッピングも楽しみ、まるで60代のように若くハツラツとしておられます。あるときクリニックの待合室で、70代の女性がAさんを見て、「私と同じくらいのご年齢でしょう。昭和何年の生まれですか？」と尋ねたところ、「暦年齢（実は明治44年生まれ）はどうでもいいこと。私の心はいつでも青春ですから」と、ほほえんでおられました。

「いつも明るく前向きで、愚痴をこぼさず、物事を肯定的にとらえて生きる人」は、脳の快感ホルモンのβ《ベータ》エンドルフィンやセロトニンの分泌が促され、血行がよくなって体温が高くなり、免疫力も旺盛になっています。そう、断食と同じ効果が得られるのです。断食をしつつ、心を明るく保つことで、いつまでも若くて美しく、病気とは無縁の健康な体が得られるのです。

逆に、物事のマイナス面にこだわり、恨んだり怒ったり、悲しんだりする性向の人は、ストレスを増幅しやすく、ストレスホルモンであるアドレナリンの分泌を多くします。その結果、血行が悪くなって体温が低下し、免疫力が弱まって早く老けたり、病気を招きやすくなったりします。

不安、不満、怒り、悲しみなどのマイナスの感情がひどくなると、呼吸が浅くなったり、逆に呼吸が激しくなりすぎて、過換気症候群になったりすることもあります。いずれの場合も、吐く息が減少することにより、体内に老廃物が残留して血液を汚し、美貌《びぼう》を失わせ、老化や病気の要因になるのです。

豊かで言論の自由もある今の日本で、素晴らしい面や満足できるところを探すことなど難しくはありません。あなたが日ごろ、不平不満に思っていることも、冷静に考えれば大したことではないのではありませんか?

自分自身が持っているものや与えられた環境に、まず感謝することが大切です。親がいなくなって初めて、親のありがたさは分かるものですし、病気になって初めて、健康の素晴らしさを悟るのです。

断食をすると、「森羅万象《しんらばんしょう》に対して感謝したい気持ちになる」と、本書の第2章でお話ししました。体の老廃物だけでなく、心の毒素もスッキリ排泄《はいせつ》してくれるイシハラ式プチ断食を、私はすべての方におすすめしたいと思っています。

ストレス（stress）という言葉と概念を、世界で初めて打ち立てたカナダの生理学者で、ノーベル賞も受賞したセリエ博士は、「ストレスから逃れるのに一番大切なことは、西洋人には希薄であるが、東洋人に独特の気持ちである〝感謝の念〟を持つことである」と述懐されています。

幸福とは、探し求めて手に入れるのではなく、「すでに自分の中や、自分のまわりに備わっているものに気づくこと」です。「不幸でないのに、不幸をわざわざ探し求める人」や「自分は不幸だと思い込んでいる人」が、あまりにも多いように思います。

衣食住が足り（または足りすぎて）裕福であるのに、毎日がヒマな人に限って、ノイローゼやうつ病などで悩んでいる人が多いようです。すでに古代ローマ時代の皇帝アウレリアヌスは、「仕事を忙しくすると、人は幸福になれる」というようなことをいっていますし、ロシアの小説家ドストエフスキーも、「人間が不幸なのは、自分が本当に幸福であることを知らないからだ」という名言を残しています。

最後になりましたが、本書の企画立案および、編集を手がけてくださった実業之日本社の高森玲子さんに、心より御礼申し上げます。実は彼女は、数年前からイシハラ式プチ断食を実践、私が主宰している断食施設の常連客でもあります。断食を行なうたびに、肌が美しくなっていくのを実感したことが、本書の執筆依頼のきっかけとなったそうです。

本書が、あなたの人生に美と若さ、そして幸福感をもたらす一助となることを願っています。

石原結實

本書は二〇〇三年に小社より刊行された『プチ断食美容』を
再編集し、新たに刊行するものです。